운명을 바꾸는

부동산
투자 수업

운명을 바꾸는

부동산 투자 수업

내 집 마련부터 실전 아파트 투자까지, 결국 돈 버는 부동산 투자 트레이닝

부동산읽어주는남자 **정태익**

실전편

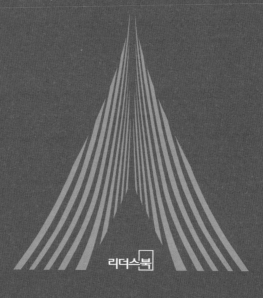

리더스북

부자로 가는 길에 선
당신을 환영합니다

"부자가 되는 방법은 무엇일까요?"

이 질문에 대한 답은 간단합니다. 부자처럼 생각하고, 부자처럼 행동하면 됩니다. 내 생각이 바뀌면 행동이 바뀌고, 행동이 바뀌면 인생이 바뀌는 법이니까요. 그러니 부자가 되려면 내가 어떻게 행동해야 하는지 스스로 고민해보는 것이야말로 부자가 되는 길의 출발점이라 할 수 있습니다. 결국 '마인드'가 가장 중요합니다. 『운명을 바꾸는 부동산 투자 수업: 기초편』을 오롯이 투자 마인드를 다지는 데 할애한 이유도 여기에 있습니다. 그렇다면 '투자 마인드'란 무엇일까요? 저는 오랫동안 제 마음에 새겨둔 명언에 그 답이 있다고 생각합니다.

"다수가 성공하는 경우는 없다. 군중과 다른 길을 가야 한다."

부의 개념은 상대적인 것이므로 모두가 부자 되는 세상이란 없습니다. 어디를 가든 부자는 소수에 불과합니다. 그중에서도 스스로 부를 이루어낸 사람들에게서 찾아볼 수 있는 유일한 공통점은 '남들과 다른 선택을 해왔다'라는 것입니다. 대부분이 택한 길, 내가 옳다고 배워온 길이 사실은 잘못됐음을 인정하고 보다 험난한 길을 택할 수 있는 결단력, 그 힘든 길을 끝내 걸어가는 의지야말로 단단한 투자 마인드라 할 수 있죠. 이런 마인드를 갖추지 못한다면 그 어떤 지식과 정보, 기술도 소용없습니다. 투자를 시작조차 할 수 없을 테니까요. 부디 1권 '기초편'이 투자에 대한 당신의 생각을 완전히 바꾸는 시작점이 되었기를 바랍니다.

나에게 맞는 '부동산 전공과목'을 찾자

하지만 마인드만으로 성공하는 투자란 없습니다. 결국은 지식과 경험, 기술이 투자를 완성합니다. 『운명을 바꾸는 부동산 투자 수업: 실전편』은 1권에서 쌓은 탄탄한 마인드에 기술을 더해주는 책입니다.

2권을 집필하기에 앞서 많은 고민을 했습니다. 일단 다양한 부동산 투자 분야 중 무엇을 다룰지가 관건이었죠. 아파트, 오피스텔,

빌라, 재개발·재건축, 경매 등 부동산 투자에도 다양한 종목이 있고 각각의 접근법이 모두 다르기 때문입니다. 무엇을 어디까지 설명해야 하는지가 매우 중요한 문제였죠. 그리고 이렇게 결론 내렸습니다. '초보 투자자가 자신에게 맞는 투자의 길을 찾을 수 있도록 다양한 종목을 소개해서 스스로 선택할 수 있게 하자', 즉 '각자가 자신에게 맞는 투자의 방향을 설정할 수 있게 하자'라고 말입니다.

'자신에게 맞는' 투자가 중요하다고 했는데 당연한 이야기입니다. 부동산만 해도 수많은 투자 방법과 분야, 상품이 있는데 모든 것을 다 잘하려다 보면 하나도 제대로 하지 못하기 때문입니다. 그래서 나에게 맞는 투자법을 찾는 것이 중요하죠. 저 역시 그런 투자 방법을 찾기까지 꽤 오랜 시간이 걸렸습니다. 주식으로 시작해 아파트 투자 등을 거쳐 빌라, 오피스텔, 상가 그리고 경매까지 다양한 투자를 경험해보았습니다. 그러다 보면 자연스럽게 본인에게 잘 맞는 투자처와 방식을 찾게 됩니다. 특히 경매를 배워놓으면 상승장뿐만 아니라 하락장에서도 돈을 벌 수 있는 기술을 얻을 수 있죠. 상승장에서는 일반 매매를 통해 수익을 극대화하고, 하락장에서는 경매를 통해 시세보다 싸게 사서 시세차익을 얻는 것입니다. 또한 다양한 종목을 경험해보면 본인에게 맞는 것이 무엇인지 조금씩 알게 될 것입니다. 결국 경험을 해야 알게 된다는 점, 그것이 가장 중요합니다. '기초편'을 통해 마인드를 갖췄다면 이제 자신에게 맞는 투자 방법을 찾아내고 기술을 쌓아 올릴 시간입니다.

먼저 7부에서는 마인드를 다시 한번 다잡고 나의 투자 플랜을 점검해볼 예정입니다. 8부에서는 모든 부동산 투자의 기초가 되는 '입지 분석'을 알려드리겠습니다. 여기서는 '주택 투자'에 한해 서울과 수도권, 지방으로 나누어 설명했습니다. 9부는 '첫 집 마련을 위한 매수의 기술'을 소개합니다. 그다음부터는 본격적으로 투자 종목과 그에 맞는 기술을 소개합니다. 10부는 '아파트 투자'를, 11부는 '초보 투자자가 해볼 만한 비(非)아파트 투자'를 이야기합니다. 12부는 '경매'의 기술을 다룰 예정입니다.

'어떻게 하면 부자가 되고 싶은 분들을 도울 수 있을까' 하는 마음으로 두 권의 책에 담을 내용을 열심히 선별하고, 고민하고, 집필했습니다. 10여 년에 걸친 투자자로서의 철학, 처음 투자를 시작하는 분들께 드리고 싶은 당부, '이것만은 알고 시작하라'라는 최소한의 주의사항을 알린다는 소기의 목적이 이루어지길 간절히 바랍니다. 이 책을 통해 자신에게 맞는 부동산 전공과목을 찾아내어 부자로 가는 길에 서기를 기원합니다. 부자로 가는 문을 활짝 열어젖힌 여러분을 진심으로 환영합니다.

차례

7부 성공하는 인생을 위한 투자 플랜

8부 반드시 알아야 하는 입지 분석의 기술

9부 첫 집 마련을 위한 매수의 기술

10부 실전 투자자를 위한 아파트 투자의 기술

11부 실전 투자자를 위한 비(非)아파트 투자 엿보기

12부 실전 투자자를 위한 경매 투자 엿보기

7부

부동산 투자를 할 때는 내가 가진 돈과
레버리지를 최대한 활용하게 됩니다.
이때 투자자는 자신의 상황을 점검하고,
시장 흐름을 제대로 파악해야 리스크를 피할 수 있습니다.
7부에서는 투자하기 전에
점검해봐야 하는 것들에 대해 이야기합니다.

성공하는 인생을 위한
투자 플랜

28 전 재산 1억, 내 집 마련과 투자 중 무엇이 정답인가

"저는 30대 초반의 무주택자입니다. 아내와 3년 넘게 열심히 노력해서 드디어 1억 원을 모았습니다. 이 돈으로 부동산 투자를 하려고 합니다. 그런데 내 집 마련부터 해야 할지, 투자를 해야 할지 고민입니다. 집에 돈이 묶여 있으면 빨리 부자가 되기 힘들다던데…. 내 집 마련은 포기하고 돈이 될 만한 지역에 투자를 해야 할까요?"

이런 질문을 많이 받습니다. 3년 만에 1억이나 모은 것은 정말 대단한 일입니다. 이 부부는 앞으로 어떻게 해야 자산을 빨리 늘릴 수 있을까요?

투자 vs. 실거주, 나의 상황부터 점검하라

일단 각자 처한 상황이 다른 만큼 본인의 상황을 면밀히 파악해야 합니다. 설사 나이와 연봉, 모은 돈이 비슷하다고 해도 사람마다 목표가 다릅니다. 누구는 당장 들어가 살 집이 필요하고, 누구는 한동안 '몸테크'를 하더라도 투자부터 고려하니까요. '이 돈이면 어디에 투자해야 할까요?'라는 질문에 쉽게 답할 수 없는 이유입니다.

사연자의 경우, 아이가 초등학교 들어가기까지 5년 정도 남은 시점이라 실거주 가능한 집을 매수하고, 남은 기간 월세를 살면서 돈을 모아 5년 뒤에는 입주하는 것을 목표로 설정하라는 의견을 주었습니다. 이렇듯 부동산 투자를 시작할 때는 내가 처한 상황을 제대로 점검하고 목표를 세워야 합니다.

현명한 레버리지 전략: 투자와 실거주를 동시에 잡자

제가 사연자에게 내 집 마련을 추천한 또 다른 이유가 있습니다. 사실 지금과 같이 다주택자 규제가 강한 상황에서는 투자와 실거주를 구분하는 것이 무의미합니다. 향후 다주택자 규제가 없어지기 전까지는 내가 들어가 살 만한 똘똘한 한 채를 매수하는 것은 여전히 유효한 전략입니다. 직접 실거주할 수 있는 집을 사서 주거 안정성을 찾고, 집값 상승도 기대하는 거죠. 1주택자는 각종 규제에서 비교적 자유롭기에 가능한 일입니다.

　이 전략의 핵심은 '레버리지'에 있습니다. 부자가 되려면 내가 할 수 있는 한 최대의 레버리지를 일으켜야 한다는 사실을 앞서 기초편에서 말씀드렸죠. 대출은 두려워해야 할 대상이 아니라 제대로 활용해야 할 레버리지라고 강조했습니다. 지금 다주택자에 대한 대출 규제는 매우 철저하지만 실수요자인 무주택자의 대출은 조금 더 수월합니다. 6억 원 이하 저가 주택의 경우 더욱 그렇습니다. 1억 원대의 투자금으로 보금자리론♀ 같은 주택담보대출을 이용하고 신용대출을 더하면 4~5억 원대의 아파트를 매수할 수 있죠. 참고로 지금 내 상황에서 얼마까지 대출 레버리지를 활용할 수 있는지, 그리고 현재 대출 규제에 무엇이 있는지에 대해서는 뒤에서 자세히 설명하겠습니다.

♀ **보금자리론**
2022년 1월 기준 보금자리론은 무주택자로서 연소득 7천만 원 이하인 개인, 또는 연소득 8,500만 원 이하의 신혼부부가 주택을 매수할 때 실거주 1년 조건을 갖추면 집값의 최대 70%까지(지역에 따라 상이) 대출을 받을 수 있다. 이때 담보주택의 평가액이 6억 원 이하여야 한다. 한국주택금융공사 홈페이지(hf.go.kr)에서 예상 대출 가능 금액을 조회해볼 수 있다.

레버리지를 최대로 끌어올리는 또 다른 방법

사연을 보낸 분이 할 수 있는 또 다른 선택은 전세 레버리지를 활용하여 나중에 실거주할 주택을 미리 사놓는 것입니다. '전세 레버리지'란 전세가와 매매가의 차액으로 집을 매수하여, 전세금을 레버리지로 삼는 것을 말합니다. 예를 들어, 7억 원의 아파트에 전세가 5억 5천만 원이라면 내 돈 1억 5천만 원으로 전세를 끼고 주택을 매수할 수 있습니다. 1억 원을 모은 사연자는 5천만 원의 추가 대출만으로도 7억 원의 아파트를 살 수 있는 거죠. 그 뒤 실거주할 때까지 저축을 통해 자금을 모으면 됩니다. 실거주 시점이 되면 그동안 모은 자금에 전세퇴거자금 대출을 받아서 임차인에게 전세금을 돌려주면 되고요.

이러한 방식으로 전세 레버리지를 활용하여 집을 매수했을 때의 장점은 분명합니다. 현재 내가 가진 자금으로 매수할 수 있는 주택보다 더 비싼 금액의 주택을 살 수 있다는 것이죠. 높은 가격의 집을 살 수 있다는 말은 '더 좋은 입지의 똘똘한 한 채'를 매수할 수 있다는 뜻입니다. 이는 세입자의 전세 자금을 활용했기에 가능한 일이죠. 이런 방식으로도 내 집 마련을 할 수 있습니다. 나의 능력 안에서 레버리지를 최대한으로 활용해야 더 빠르게 자산을 늘릴 수 있다는 것, 이것이 바로 투자의 핵심입니다.

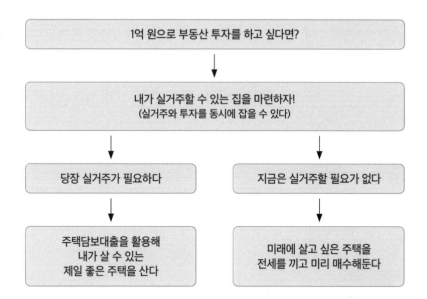

1억 원으로 부동산 투자를 하고 싶다면?

↓

내가 실거주할 수 있는 집을 마련하자!
(실거주와 투자를 동시에 잡을 수 있다)

↓　　　　　　　　　　　↓

당장 실거주가 필요하다　　　지금은 실거주할 필요가 없다

↓　　　　　　　　　　　↓

주택담보대출을 활용해
내가 살 수 있는
제일 좋은 주택을 산다

미래에 살고 싶은 주택을
전세를 끼고 미리 매수해둔다

29

지금 전세금 빼서
다주택 투자를 해도 될까

"저도 이제 절대로 전세 살지 않으려고요. 지금 당장 전세금 빼서 최대한 여러 채를 사려고 하는데 괜찮을까요?"

저는 전세 살 바에 월세 살며 투자하라는 말을 자주 하기 때문에 이런 질문을 종종 받습니다. 그런데 모든 일에는 때가 있습니다. 다주택자에게 유리한 시기가 분명 있지만 반대로 불리한 시기도 있죠. 이번 장에서는 각종 규제가 많은 부동산 상승기에는 다주택 투자를 왜 지양해야 하는지 설명하겠습니다.

상승기에는 다주택 투자를 피하라

　기본적으로 다주택 투자는 하락기 또는 침체기에 하는 것이 유리합니다. 가장 큰 이유는 정부의 부동산 규제 때문입니다. 부동산 상승기에는 집값을 안정시키라는 국민의 요구가 높아집니다. 이에 따라 정부는 여러 규제를 통해 가격 안정을 꾀하는데, 다주택자 규제도 그중 하나입니다. 정권이 바뀔 때마다 부동산 정책은 변하지만 그 기저에 깔린 핵심은 같습니다. 대부분의 규제는 다주택자를 대상으로 하며, 무주택자나 1주택자는 크게 규제하지 않는다는 것입니다.

　다주택자를 대상으로 하는 규제에는 대출, 거래, 가격, 세금 관련이 있습니다. 2022년 3월 기준 다주택자에 대한 대출 및 세금 규제는 22쪽 표와 같습니다.

　현재 시행되는 규제에 따르면 세 번째 주택을 매수할 경우 내야 하는 취득세가 집값의 12%가 넘습니다. 4억 원의 집을 사는 데 세금만 5천만 원 가까이 내야 하니 부담이 될 수밖에 없죠. 집을 팔 때 부과되는 양도소득세(이하 양도세)도 매우 무겁습니다. 양도차익이 커도 세금을 내면 남는 것이 없다는 말이 나오는 이유입니다.

　부동산 상승기가 다주택 투자자에게 불리한 것은 규제 때문만은 아닙니다. 당연한 이야기지만 입지가 뛰어난 곳의 좋은 집은 비쌉니다. 상승기일수록 누구나 갖고 싶은 '똘똘한 한 채'의 가격은

규제의 종류		규제(매매가격 기준)
대출 규제		9억 원 이하 40% 9억 원 초과 20% 15억 초과 아파트는 대출 불가
세금 규제	취득세 중과	2주택 8.4~9% 3주택 12.4~13.4%
	종부세 중과	최대 7.2%
	양도세 중과	최대 82.5%(양도세 75% + 지방소득세 7.5%) *지방소득세: 양도세의 10%

다주택자 규제(투기과열지구 기준)

빨리, 더 많이 오릅니다. 반면 싼 집은 상대적으로 수요가 적은 집일 가능성이 있습니다. 이런 집들은 가격의 오름폭이 낮죠. 부동산 시장의 양극화가 일어나는 겁니다. 이런 때에는 단순히 저렴한 집을 여러 채 갖고 있다고 해서 무조건 좋은 결과가 나오지는 않습니다.

다주택을 가져도 좋은 때는 따로 있다

물론 정부의 규제가 영원하지는 않다는 사실을 기억해야 합니

운명을 바꾸는 부동산 투자 수업_ 실전편

다. 시장의 변화에 따라 규제가 풀리기도 하고 없던 규제가 생겨나기도 합니다. 지난 2000년 이후 서울시 아파트 지수와 정부 규제를 정리해보았습니다. 24쪽의 그래프를 보면 집값이 오르는 시기에 다주택자를 규제하는 다양한 정책이 시행

📍 **아파트 지수**
전국 아파트 실거래가 및 가격 변동률을 지수화한 것이다. 2006년 1월을 기준으로 하는데 이때의 값을 지수 100으로 삼는다. 국토부가 조사해 매달 하순에 발표한다.

되었음을 알 수 있습니다. 집값이 보합이거나 하락할 때는 오히려 정부에서 규제를 풀어주거나 다주택자에게 혜택을 주기도 합니다. 이명박 정부 시기에는 금융 위기와 대규모 아파트 공급 물량의 여파로 미분양이 심각한 수준으로 늘어나자, 정부에서 미분양 아파트를 매입하기도 했습니다. 또한 이때 대부분의 규제지역이 해제되었죠. 박근혜 정부 때는 취득세를 인하하거나, 유주택자도 청약을 할 수 있게 하거나, 양도세를 100% 면제해주는 정책까지도 시행되었습니다. 시장에 공포와 불안이 극에 달하고, 정부에서조차 다주택자를 권장할 때가 주택 수를 늘리기 가장 좋은 시절입니다.

제가 부동산 투자를 시작한 시기는 2010년으로, 다주택자에 대한 규제가 거의 없던 시절이었습니다. 이때 다주택자 양도세 중과가 해제되고, 종합부동산세(이하 종부세)가 유명무실해졌으며, 보금자리주택 같은 부동산 공급 계획이 쏟아져 나왔죠. 이후 한동안 집값은 떨어지거나 보합 상태에 머물렀습니다. 이때 저는 지방 아파트 여러 채를 전세 끼고 매수하여 큰 수익을 냈습니다.

서울 아파트 가격과 정부 규제

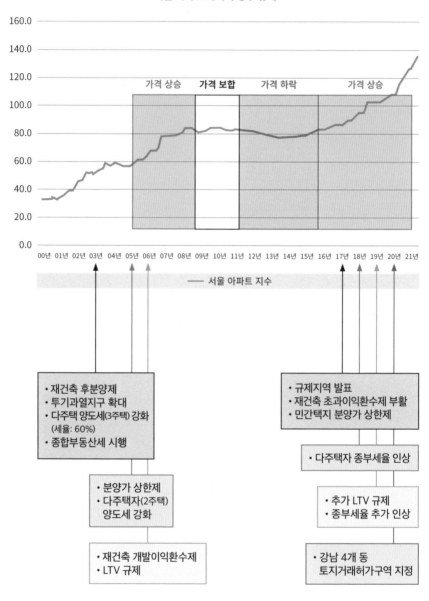

운명을 바꾸는 부동산 투자 수업_실전편

문제는 집값이 하락세인데 과연 다주택자라는 리스크를 짊어질 수 있느냐 하는 것이죠. 집값이 오르는 시기에는 누구나 여러 채를 사서 부자가 되고 싶어 하지만, 막상 다주택을 하기 좋은 시기에는 모두가 집 사기를 꺼린다는 사실이 참 아이러니합니다.

핵심은 '레버리지'에 있다

지금까지 설명한 내용을 정리하면, 각종 규제가 많은 부동산 상승기에 가진 돈을 전부 털어서 다주택자가 될 필요는 없다는 것입니다. 반면, 집값이 하락해 각종 규제로부터 자유로운 시기에는 다주택자가 되어도 좋습니다. 그런데 이 말을 '언젠가 기회를 잘 봐서 무조건 개수를 늘려야 부자가 된다'라는 식으로 오해하면 안 됩니다. 핵심은 다주택자가 될 수 있느냐 하는 문제보다는 '내가 지금 어떤 포지션을 취해야 최대한의 레버리지를 쓸 수 있느냐'에 있습니다.

앞서 강조했듯이 투자자는 레버리지를 최대한 활용해야 부자가 됩니다. 레버리지를 많이 일으켜 투자해서 자신이 가진 자본 대비 많은 자산을 소유할 수 있어야 부자가 됩니다. 부동산 규제가 완화되었을 때는 전세를 끼고 집을 여러 채 사두면, 대출을 받아서 한 채를 매수하는 것보다 훨씬 더 큰 자산을 살 수 있습니다. 반면 규제가 강화되었을 때는 오히려 1주택자, 혹은 더 좋은 주택으로 갈아타기를 시도하는 2주택자가 더 많은 레버리지를 쓸 수 있습니다. 다주택자보다 대출이 더 잘 나오고, 양도세와 취득세 등 각종 세금으로부터 비교적 자유롭기 때문입니다.

2017년을 기점으로 아파트 가격은 크게 상승하였고 이에 따라 정부도 계속해서 규제책을 내놓고 있죠. 이런 시기에 무주택자는 레버리지를 최대한으로 활용하여 똘똘한 한 채를 매수하고, 1주택자 또한 '갈아탈' 수 있는 가장 좋은 집을 알아보는 것이 좋습니다. 다주택자라면 주택 수를 점차 줄여가면서 똘똘한 한 채를 찾아가는 전략이 유리합니다. 앞으로도 규제는 계속 바뀔 것입니다. 결국 정책이 바뀔 때마다 어떤 방식을 통해 '레버리지'를 가장 많이 쓸 수 있는가를 항상 생각해야 한다는 말입니다.

똘똘한 1주택 vs. 다주택, 최종 승자는?

현재의 세금과 대출 규제 아래에서 주택 한 채를 샀을 때와 여러 채를 샀을 때의 투자 수익은 각각 어떨까요? 복잡한 설명 대신 직관적으로 이해할 수 있도록 예시를 들어보겠습니다.

A, B, C 세 사람은 각각 12억 원을 가지고 있습니다. 세 사람 모두 서울에 집을 살 예정으로, A는 12억 원짜리 아파트 한 채를, B는

	A	B	C
매매가격	12억×1채	6억×2채	4억×3채
취득세 (2022년)	3,960만 (3.3%)	660만+5,040만= 5,700만 (1번째 1.1% / 2번째 8.4%)	440+3,360+4,960 = 8,760만 (1번째 1.1% / 2번째 8.4% / 3번째 12.4%)
양도차익 2억 원-취득세	16,040만	14,300만	11,240만
양도세 (2022년)	4,060만 ※계산식 {양도차익-250만 (기본공제)}×38% (기본세율) -1,940만(누진 공제)	6,237만 ※계산식 {양도차익-250만 (기본공제)}×55% (기본세율35%+ 20%가산)-1,490만 (누진 공제)	5,653만 ※계산식 {양도차익-250만 (기본공제)}×65% (기본세율35%+ 30%가산)-1,490만 (누진 공제)
세금 합계 (취득세+양도세)	3,960+4,060 =8,020만	5,700+6,237 =11,937만	8,760+5,653 =14,413만
순이익	11,980만	8,063만	5,587만

※ 취득세는 양도세 계산 시 양도차익에서 공제한다.

(단위: 원)

6억 원짜리 2채를, C는 4억 원짜리 3채를 전세 끼고 사기로 했다고 가정해보겠습니다. 이들이 2022년에 집을 매수하고 2년 뒤 동일한 시기에 팔며, 집값은 똑같이 2억 원이 올랐다고 가정해봅시다. 이 경우 세 사람이 내야 하는 취득세와 양도세를 비교하면 위 표와 같습니다. 이해를 돕기 위한 사례로, 비용 공제 및 매도 시기 등의 변수를 고려하지 않은 단순 계산임을 미리 밝힙니다.

표를 보면 주택 수가 늘어남에 따라 세금 부담도 같이 늘어나는 것을 볼 수 있습니다. 앞의 표에서는 취득세와 양도세만을 따졌지만 다주택자에 대한 규제는 이뿐만이 아닙니다. B와 C는 대출을 받을 때도 제한이 있습니다. 또한 보유세도 더 많이 내야 하죠.

여전히 다주택자 규제는 강력하고, 세금 규제가 언제 완화될 것인지 예측하기 힘든 상황이므로 이런 기조가 단기간에 바뀌기 쉽지 않을 수도 있습니다. 따라서 당분간은 시장의 흐름을 주시하면서 다주택 투자를 자제하는 편이 좋겠습니다.

30 적은 돈으로 투자 수익률을 높이는 방법

"연봉 3천만 원, 부자가 되고 싶어서 돈을 악착같이 모았습니다. 2년 만에 3천만 원의 투자금을 만들었어요. 그런데 투자하기도 전에 절망하고 말았습니다. 막상 투자를 하려니 집을 사기에는 제 투자금이 너무 작다는 사실을 알게 됐거든요. 이대로 부동산 투자를 포기해야 할까요?"

돈이 부족해서 투자하기 어렵다는 말은 틀린 말입니다. 정확히는 내가 '사고 싶은' 물건을 살 돈이 부족하다는 뜻입니다. 돈이 부족하면 '내가 살 수 있는' 물건에 투자하면 됩니다. 점차 돈을 불려나가면서 투자의 규모를 키워가는 거죠. 지금 해야 할 것은 포기가 아니라, 내가 가진 돈으로 살 수 있는 투자처가 무엇인지 알아보는 것입니다. 적은 돈으로도 수익을 얻을 수 있는 투자처는 항상 존재하니까요. 이번 장에서는 적은 돈으로 수익을 얻는 방법을 알아보려고 합니다.

적은 돈으로 할 수 있는 투자 방식

3천만 원으로 살 수 있는 아파트는 여전히 있습니다. 서울, 수도권과 달리 지방 소도시에는 전세가율이 90%에 달하는 아파트도 있습니다. 매매가격이 3억 원인 아파트에 2억 7천만 원으로 전세를 놓으면 3천만 원에도 매수할 수 있죠. 물론 저렴하다고 해서 무조건 좋은 투자처인 것은 아닙니다. 내가 산 매물이 정말 좋은 매물인지가 중요합니다. 그 지역과 해당 매물에 투자할 가치가 있는지 면밀히 따져봐야 합니다.

사실 적은 돈으로 시작하기에 가장 적합한 투자 방식은 부동산 경매입니다. 부동산 경매는 쉽게 말해 법원이 특정 부동산을 여러 사람에게 경쟁을 붙여, 가장 비싼 값을 부른 사람에게 파는 것입니다. 해당 부동산이 경매 매물로 나온 이유는 원래 주인이 빌린 돈을 갚지 못해서입니다. 법원은 돈을 받아야 할 사람(채권자)이 경매를 신청하면 돈을 빌린 사람(채무자)의 부동산을 압류해 경매 시장에 내놓습니다. 이렇게 판 돈으로 채무자의 빚을 갚게 하는 제도죠.

물론 초보 투자자가 경매에 뛰어들기로 마음먹기는 쉽지 않습니다. 막연한 두려움 때문입니다. 일반 매매와 다른 특수한 경매 절차를 익혀야 하고, 경매 용어도 매우 생소합니다. 적정 낙찰가를 고민하며 계속 임장을 다녀야 하고, 물건에 문제가 없는지도 따져봐야 합니다. 가장 큰 벽으로 점유자를 내보내는 '명도'도 있죠. 그러나 이 모든 번거로움을 감수하고 투자자들이 경매를 선택하는 이유가 있습니다. 일반 매매는 살 때부터 취득세, 중개수수료 등 손해를 보고 시작합니다. 그러나 경매는 입찰자가 직접 가격을 정하기 때문에 대부분 물건을 시세보다 저렴하게 낙찰받습니다. 일반 매매 대비 손해가 없거나 적죠.

경매의 가장 큰 매력은 빌라, 반지하, 원룸 오피스텔 같은 '매력 없는 물건'에 투자해 수익을 낸다는 점입니다. 이게 어떻게 가능할까요? 이들을 시세보다 저렴하게 사서 시장가에 파는 것만으로도 수익을 얻을 수 있기 때문입니다. 투자금이 적은 경우 경매를 추천하는 이유가 바로 이것입니다.

경매: 부동산을 도매가로 사는 방법

사실 경매 용어와 절차를 단기간에 익히기는 어렵습니다. 경매에 대해서는 12부에서 조금 더 자세히 다룰 예정입니다. 이번 장에서는 경매의 장단점과 최소한의 용어를 짚고 넘어가겠습니다.

경매는 물건을 시세보다 싸게 살 수 있다는 강점 때문에 '부동산 도매 시장'이라고 불리기도 합니다. 또한 레버리지 활용에도 유리한 면이 있습니다. 입찰 시 해당 물건 최저 입찰가의 10%만 있으면 되고, 추후 낙찰을 받으면 낙찰 금액의 90%까지 경락잔금대출을 받는 경우도 있습니다. 실투자금이 크지 않아도 진행해볼 수 있고, 심지어 실투자금이 마이너스인 경우도 있습니다.

간략한 경매 용어	
경매	누군가가 돈을 못 갚았을 때, 법원이 그의 부동산을 공개적으로 판매하여 그 돈으로 빚을 갚게 하는 것.
감정가	감정평가사가 해당 물건에 대해 책정하는 가격. 시세가 아닌 경매 절차를 시작하기 위한 기준 가격.
최저 입찰가	이 가격 미만을 적어 입찰하면 무효가 되는 기준 가격. 매수자가 없을 경우 앞선 최저 입찰가의 70%(지방법원에 따라 80%인 곳도 있음) 가격이 새로운 최저 입찰가가 된다(이를 유찰이라고 부른다). 최초 10억 원의 감정가로 시작된 경매가 유찰되면 70%인 7억 원으로 재입찰을 하고, 거기에서도 유찰이 되면 다음 입찰일에는 7억 원의 70%인 4억 9천만 원으로 최저 입찰가가 낮아진다.
입찰 보증금	입찰할 때, 즉 경매에 나설 때 내는 일종의 계약금. 보통 최저 입찰가의 10%.
경락잔금대출	낙찰자는 낙찰일로부터 약 6주 안에 나머지 잔금을 완납해야 한다. 경매에서 잔금을 치르는 용도로 빌려주는 대출을 '경락잔금대출'이라고 한다.

실제로 제 수강생 중에도 그런 분이 꽤 있습니다. 한 분은 2018년 인천 부평의 11평짜리 빌라를 5,920만 원에 낙찰받았습니다. 당시 시세는 6,600만 원 정도였죠. 이분은 낙찰가의 90%인 5,300만 원의 경락잔금대출을 받았습니다. 그런 뒤 세입자에게서 보증금으로 1천만 원을 받았죠. 집을 샀는데, 오히려 현금이 더 생기게 된 것입니다. 여기에 경락잔금대출 이자를 제하고 다달이 15만 원 정도의 월세

가 들어왔습니다. 나중에 시세대로만 매도해도 약 550만 원의 시세차익까지 생기는 겁니다. 만약 집값이 오른다면 시세차익은 더 커질 수 있겠죠. 내 돈을 전혀 들이지 않고 매우 성공적으로 투자한 사례입니다.

고생한 것에 비하면 550만 원의 시세차익이나 월 15만 원의 수익이 크지 않다고 생각할 수도 있습니다. 하지만 실투자금을 기준으로 수익률을 따져보면 굉장하다는 사실을 알 수 있습니다. 자기 돈은 한 푼도 쓰지 않고 발품과 노력만으로 이 정도의 수익을 올렸으니까요. 여전히 비규제지역에서는 이와 비슷한 투자가 가능하니, 최소한 "돈이 없어서 투자를 못 하겠어요" 같은 말은 투자의 세계에서 통하지 않습니다.

시세	6,600만
낙찰가	5,920만
경락잔금대출	5,300만
월세 보증금	1,000만
실투자금	-250만 ※계산식 {5,920만+130만(기타 비용)-(5,300만+1,000만)}
월 수익	약 15만(월세-경락잔금대출 이자)
실현 가능한 시세차익	550만

(단위: 원)

나는 '경매형 인간'인가

경매는 시세보다 싸게 살 수 있다는 말만 듣고 무조건 시도하기에는 배워야 할 것이 많은 투자법입니다. 절차와 용어를 정확히 익혀야 하는 것은 물론, 물건의 시세 분석을 제대로 할 줄 알아야 하죠. 또한 해당 물건을 낙찰받았을 때 권리상으로 큰 문제는 없는지 권리분석도 해야 합니다. 여기에 '명도'까지 절대 만만한 과정이 아닙니다. 누구나 쉽게 경매를 할 수 있다면 모두가 뛰어들었겠죠. 이 모든 과정을 헤쳐나가려면 적극적인 투자 마인드가 필수입니다.

당신은 경매 투자에 뛰어들 만큼 강력한 투자 마인드를 갖추었

운명을 바꾸는 부동산 투자 수업_ 실전편

나요? 제가 간단한 체크리스트를 준비했습니다. 나의 상황에 맞는 항목에 체크해보고 경매 투자자로 거듭날 수 있을지 가늠해보세요.

테스트 : 나는 경매에 적합한 성격인가

□ 초면인 사람에게 말을 거는 것에 두려움이 없다.

□ 거절당하고 면박당하는 것에 개의치 않는다.

□ 빌라, 오피스텔, 반지하 등을 매매하기를 꺼리지 않는다.

□ 평소에도 남과 다른 길을 가려고 노력한다.

□ 평소에 주변에서 독하다는 소리를 듣는다.

□ 10번 중 1번 낙찰이 된다고 하더라도 도전할 수 있다.

□ 소송, 다툼, 분쟁 같은 것들이 두렵지 않다.

□ 한 가지를 파고들며 쉽게 포기하지 않는 성격이다.

□ 매주 토요일 하루를 온전히 투자에 할애할 수 있다.

□ 평일에 본인이 휴가를 쉽게 낼 수 있거나, 입찰을 부탁할 지인이 있다.

※ 6개 이상 체크했다면, 경매를 시도해볼 수 있다.

31

손해 보지 않는
부동산 투자법은?

"부동산 투자를 해보고 싶어요. 그런데 투자했다가 종잣돈을 잃을까 봐 너무 걱정이 됩니다."

처음으로 투자를 해보려고 할 때의 두려움을 이해합니다. 하지만 아무것도 하지 않으면서 언제까지 지금의 평범한 삶을 유지할 수 있을까요? 평범한 직장인의 연봉 상승액과 은행 이자로는 인플레이션을 절대로 감당하지 못합니다. 인플레이션의 벽을 넘지 못하면 지금 누리는 평범한 삶을 지키기 힘들지도 모릅니다. 그럼 이제 이런 질문이 나올 차례입니다.

"손해 안 보는 투자 방법이 있나요?"

실망하실 수도 있지만, 저는 그런 투자 방법은 없다고 말합니다. 투자는 필연적으로 리스크를 짊어지는 행위입니다. 우리 시대 가장 위대한 투자자로 불리는 워런 버핏도 손해를 볼 때가 있죠. 리스크를 짊어질 각오가 없다면 투자를 시작할 수 없습니다. 단 그런 피해를 최소화하는 방법, 그러니까 리스크를 줄이는 방법은 있죠. 잃을 때는 적게 잃고 벌 때는 많이 버는 방법 말입니다. 자, 이제 그런 방법을 알아볼까요?

투자 원칙 ①: '글자'에 기대지 말고 현장을 가라

당연한 이야기지만 어떤 투자를 하든 공부를 철저히 해야 합니다. 그런데 부동산 공부에 대해 오해해서는 안 됩니다. 부동산 커뮤니티에 올라온 게시글을 빠짐없이 읽는다거나, 부동산 관련 기사를 매일같이 본다거나, 유튜브를 열심히 챙겨보는 것은 엄밀히 말해 '진짜 부동산 공부'가 아닙니다. 진짜 공부는 '글자'가 아닌 현장의 '말'에 있습니다.

투자를 하기 전에 직접 해당 지역을 탐방하는 것을 '임장'이라고 합니다. 글 속에 갇혀 있지 말고, 세상 바깥으로 나와 현장에서 경험을 쌓아야 합니다. 내가 살고 싶은 지역이나 관심 있는 곳에 직접 가서 내 눈으로 확인하는 겁니다. 이 지역은 다른 곳에 비해 어떤 점이 좋은지, 인프라는 잘 갖춰져 있는지, 안전한 동네인지, 어떤 아파트가 이 지역의 '대장 아파트'일지 내 발로 걸어 다니며 치열하게 조사해야 합니다.

초보자에게는 쉽지 않을 수도 있지만, 근처 중개사무소에 들러 중개사와 이야기도 많이 나눠보아야 합니다. "요즘 이 지역의 분위기가 어때요?", "투자를 하고 싶은데 괜찮은 매물이 있나요?", "이 아파트는 왜 바로 옆 동의 아파트에 비해 저렴하죠?" 하는 식으로 질문을 해보는 겁니다. 내 집 마련의 경험이 없는 초보자에게 중개사무소 문을 열고 들어가는 일이 얼마나 어려운지 잘 압니다. 하지만 투자자라면 앞으로 문턱이 닳도록 들어가야 할 곳이 중개사무소이니, 연습을 통해 현장 방문에 익숙해져야만 합니다.

현장에서 느끼고 배울수록 부동산 투자의 성공 가능성을 높일 수 있습니다. 이론 공부만으로는 투자의 절반도 채 이해하지 못한다고 단언할 수 있습니다. 직접 현장을 찾아 정보를 취합하고, 여러 지역을 다니면서 다양한 물건을 비교 검토하는 과정이 필요합니다. 그리고 꼭 비싼 물건이 아니더라도 적은 금액으로 할 수 있는 투자를 해봐야 합니다. 실거주용 물건을 사거나 적은 돈이 들어가는 투자용 물건 둘 중 하나로 시작해야 첫발을 뗄 수 있습니다. 경험해보지 않으면 절대 알 수 없는 것이 바로 부동산 투자입니다.

투자 원칙 ②: 남들이 싫어하는 것을 대신하라

　투자에는 크게 2가지 방법이 있습니다. 하나는 남들이 좋아할 것을 한발 앞서서 하는 투자고, 또 다른 하나는 남들이 싫어하는 것을 대신하는 투자입니다. 전자는 필히 날카로운 감각을 갖추고 있어야 합니다. 미래에 남들이 무엇을 좋아할지 간파하려면 트렌드와 시대의 변화를 읽을 줄 알아야 하죠. 초보자에게는 조금 벅찬 일입니다.

　그렇다면 남들이 싫어하는 것을 대신하는 투자는 어떨까요? 앞 장에서 이야기한 경매 투자도 그 예가 될 수 있습니다. 대부분이 꺼리는 물건들이 있는 시장에서 복잡한 경매라는 절차를 거쳐야 하는 투자니 말이죠. 낡은 빌라, 구축 아파트 투자도 마찬가지입니다. 재개발 또는 재건축이 기약 없는 곳이라면 사람들의 관심이 적을 수밖에 없습니다. 게다가 실거주하기도 어려운 곳이면 더더욱 투자를 꺼리게 됩니다. 매수를 꺼린다는 말은 가격이 상대적으로 싸다는 말과 같죠. 이런 곳에 투자하여 개발 호재가 생길 때까지 기다리는 것도 손해를 덜 보는 방법일 수 있습니다. 돈을 잃기 싫으면 시간에 투자하면 됩니다.

　사실 아무것도 하지 않는 것보다 큰 리스크는 없습니다. 아직 젊다면 한동안은 소득이 늘어날 가능성이 크지만, 머지않아 그보다 지출이 더 크게 늘어나는 시기가 오게 마련입니다. 또한 어느 시점이 지나면 소득이 줄어들다가 직장을 그만두며 끊기게 됩니다.

"배는 항구에 정박해 있을 때 가장 안전하다. 하지만 그것이 배의 존재 이유는 아니다."

19세기 미국의 신학자이자 교수인 윌리엄 G. 쉐드의 말을 전하고 싶습니다. 아무것도 하지 않으면 얻는 것도 없습니다. 가만히만 있으면서 "들어갈 타이밍을 보고 있다"라고 말하는 사람들이 너무 많습니다. 마냥 시간을 흘려보내는 것도 큰 손해라는 것을 명심하시기 바랍니다.

부자 되는 꿀팁

앞서 남들이 싫어하는 일을 대신하는 것으로 오래된 빌라나 아파트 투자를 말씀드렸죠. 이때 조금이라도 '시간 리스크'를 줄이려면 매수 전에 철저히 입지를 분석해보아야 합니다.

한 가지 팁을 드리자면, 오래된 도시의 중심부에 관심을 가져보는 것도 좋습니다. '시청' 같은 관공서 주변을 살펴보는 거죠. 시청이 있는 곳은 대부분 오래된 도시의 중심부이며, 당연히 세월이 흘러 낙후되어 있습니다. 그러나 입지가 좋고 교통이 발달된 경우가 많습니다. 이렇듯 이미 인프라를 갖춘 지역은 개발 가능성이 상대적으로 높죠. 낡은 빌라가 많은 인천 시청 일대를 예로 들 수 있습니다. 이곳은 이미 몇천 세대의 신축 대단지 아파트가 들어서 있어 개발 압력이 높아지고 있습니다. 실제로 간석래미안자이아파트 우측 블록은 재개발 추진 중이며, 간석초등학교 인근은 지구 지정이 취소되었으나, 언제고 다시 추진될 가능성이 있습니다. 또한 인천 시청 주변으로 GTX(수도권 광역급행철

운명을 바꾸는 부동산 투자 수업_ 실전편

도)-B가 들어선다는 교통 호재가 생기면서 전체적으로 재개발에 대한 기대감이 커지고 있습니다.

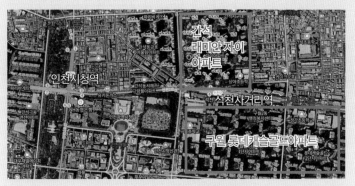

낮은 빌라가 많은 인천 시청 일대 예시

다른 예로, 서울 동작구 흑석동을 들 수 있습니다. 이곳은 10년 전만 해도 다세대 주택이 많은 매우 낙후된 곳이었습니다. 하지만 서초구와 맞닿아 있어 강남 접근성이 뛰어나고, 다리를 건너면 서울의 중심 용산이어서 입지가 좋은 곳입니다. 이러한 조건 때문에 흑석동은 뉴타운으로 지정되어 대규모 재개발이 지속적으로 진행되고 있습니다. 흑석뉴타운은 좋은 입지의 낡은 주거지는 결국 개발된다는 사실을 보여주는 좋은 사례라고 할 수 있습니다.

결국 입지가 좋다면 오래된 것은 항상 새것이 될 가능성이 있다는 사실을 꼭 기억해야 합니다.

연령별, 상황별 투자 플랜 세우기

투자 계획을 세울 때는 어떤 레버리지를 활용할 것인지 결정해야 합니다. 먼저 금융기관에서 돈을 빌리는 '대출 레버리지'를 활용할 수 있습니다. 그다음으로 '전세 레버리지'를 활용할 수도 있습니다. 세입자의 전세 자금을 떠안는 대신에 매매가격과 전세금의 차액만큼만 집주인에게 지불하고 소유권을 가져오는 방식이죠. 마지막으로 '시간 레버리지'를 쓸 수도 있습니다. 장기 호재가 있는 곳이나 재개발·재건축이 진행될 가능성이 있어서 나중에 가격이 오를 곳을 미리 매수하고 기다리는 투자입니다. 이때 자신의 나이와 상황을 고려하여 어떤 레버리지를 활용할지 결정해야 합니다.

이번에는 두 부부의 사례를 통해 앞으로의 투자 계획을 어떻게 세워야 하는지 알아보겠습니다. 참고로 다주택 투자는 변수가 너무 다양하므로 주택 한 채를 마련하는 경우로 가정합니다.

사례 1. 신혼 또는 영유아 자녀를 둔 젊은 부부

우리 가족의 주택 구매 능력을 따져보자

젊은 부부는 당장 소득이 적더라도 미래의 기대 소득이 많기 때문에 다양한 레버리지를 사용할 수 있습니다. 젊은 나이에 레버리지가 두려워 보수적으로 투자하다 보면, 부동산 상승기가 왔을 때 레버리지를 활용한 사람과의 자산 격차가 급격히 벌어질 수 있습니다. 그래서 적절한 레버리지를 활용해야 합니다. 젊은 부부들은 당장 모아놓은 자산은 적지만, 미래 소득이 많기 때문에 이를 간과해서는 안 됩니다. 따라서 지금 가지고 있는 자산만 따지지 말고, 미래 소득을 감안해서 대출 레버리지를 쓰는 방향을 적극적으로 고려해야 합니다.

일단 저축률을 높이는 것이 관건입니다. 저축은 매년 현금성 자산을 빠르게 늘릴 수 있는 가장 확실한 방법이기 때문입니다. 또한 높은 저축률은 이자를 더 많이 감당할 수 있다는 의미이기도 합니다. 그다음으로 전세 레버리지도 활용 가능합니다. 당장 아이가 없거나 자녀의 나이가 어리다면, 무리하게 실거주를 시도하기보다는 전세 레버리지를 활용해 이자 부담을 낮추면서 미래에 살고 싶은 집을 먼저 매수할 수도 있습니다. 열심히 저축하고 자산을 불려 몇 년 뒤 그곳에서 실거주하겠다는 전략이죠. 그럼 상대적으로 저렴한 가격에 내 집을 마련하면서 집값 상승으로 인한 자산 증식까지 기대해볼 수 있습니다. 이해를 돕기 위해 30대 A씨 부부의 사례를 살펴보겠습니다.

가족 구성	3인(맞벌이 부부, 3세 자녀)
연령	30대 중반
목표	아이가 초등학생이 되는 5년 뒤에는 내 집에서 거주하고 싶어서 지금 미리 집을 마련해두려고 함
대출	현재 없음
활용 가능 레버리지	전세 / 대출 / 시간
연소득 (부부 합산)	세전 6,000만 원 / 세후 5,400만 원
저축 가능액	소득의 50%, 약 2,700만 원
현재 자산	현금성 자산 2억 원(전세 보증금, 예적금 포함)

투자를 하려면 먼저 투자의 적정 규모에 대한 기준을 세워야 합니다. 특히 부동산 투자는 대출이나 전세 레버리지처럼 남의 돈을 이용하는 투자이니 더욱 신중해야 합니다. 무리한 투자를 했다가 하락기가 오거나 예측할 수 없는 외부 충격 등으로 자산 가치가 급락하면 큰 손해를 입을 수 있죠.

그럼 우리 가족의 주택 구매 능력은 어느 정도일까요? 이해하기 쉽도록 매우 단순화한 식을 제시하겠습니다.

> **주택 구매 능력 = 대출 감당 가능액 + 기존 보유 자산**

위의 간단한 식에 A씨 부부의 사례를 대입하겠습니다. 먼저 대출을 얼마까지 받아도 감당할 수 있을지 계산해보아야 하는데, 대출 가능 금액을 계산하는 식은 아래와 같습니다. 1년 저축액의 40%를 원금과 이자를 상환한다는 가정하에 만든 간단한 공식입니다.

> **(저축액 × 40% / 대출이자) = 대출 감당 가능액**

이제 1년 저축액이 2,700만 원인 A씨 부부가 4%로 주택담보대출을 받을 때의 대출 가능 금액을 알아보겠습니다. 계산해보니(2,700만 원 × 40% / 0.04) 2억 7천만 원이 A씨 부부의 대출 가능 금액이라는 계산이 나옵니다. 여기에 갖고 있는 현금성 자산 2억 원을 더하면 A씨 부부는 4억 7천만 원 정도의 집을 사도 괜찮다는 계산이 나옵니다.

물론 대출 규제에 따라 더 저렴한 집을 매수할 수도 있고, 정부 지원 서민 대출을 이용하거나 전세가가 높은 주택을 매수하면 오히려 능력보다 비싼 집을 살 수도 있습니다. 그러나 실거주를 고려하면 4억 7천만 원 정도의 주택을 매수하기를 권합니다. 나의 저축 가능 금액보다 과한 투자를 하면 매수한 집에 실거주하기가 생각보다 힘들어질 수도 있기 때문입니다.

가족 간 대화와 상의는 필수다

부동산 투자를 할 때는 부부가 대화를 많이 나눠야 합니다. 향후 집
값이 상승할 것으로 예상되면 일단 구매 능력을 뛰어넘는 집을 매수하
고 실거주할 시기를 뒤로 미루는 것도 좋은 전략 중 하나입니다. 상승기
에는 집값 상승세가 워낙 가파르므로 돈을 모아 집을 사기가 거의 불가
능하기 때문이죠. 예를 들어, 7억 원의 집에 전세 시세가 5억 원인 곳이
있다면 매매가격과 전세금의 차액인 2억 원으로 매수하고, 본인은 월세
로 거주하는 식입니다. A씨 부부는 아이가 아직 어리므로 '중학생이 되
기 전에는 매수한 집에 실거주하겠다'라고 생각해도 괜찮습니다.

혹시 지금 내 능력보다 비싼 집을 매수해도 좋을지 걱정되나요? 대
부분 신혼부부의 경우 시간이 지날수록 구매 능력이 커진다는 점을 꼭
기억하세요. 부부가 열심히 저축하고 차근차근 자산을 늘리면 어느 순
간 무리해보였던 투자도 수월해지는 순간이 옵니다.

다만 이런 전략을 선택할 경우 A씨 부부는 오랜 기간 월세로 살아야
합니다. 따라서 상대적으로 저렴한 빌라나 오피스텔에서 수년간 거주할
각오를 해야 합니다. 이렇게 오랫동안 월세 살기가 부담스럽다면 도시
외곽의 호재가 있는 지역을 찾아서 당장 실거주가 가능한 금액대의 아
파트를 매수하는 것도 괜찮습니다. 통근 시간과 주거 인프라를 조금 포
기하더라도 일단 단기적인 시세 상승을 꾀하는 투자를 하고, 2년 뒤 더

나은 지역으로 갈아타기를 시도해볼 수도 있습니다. 2년 뒤에 해당 아파트의 시세 상승분과 추가 저축액을 합치면 A씨 부부의 구매 능력은 더욱 커져 있을 테니까요. 만약 현재 살고 있는 지역을 벗어나기가 불가능하다면 해당 지역의 조금 저렴한 비(非)아파트에 투자해도 됩니다. 아파텔 투자를 하거나 재개발 빌라를 매수하는 방식인데, 입지 좋은 지역에 위치해 있으면서도 가격이 아파트보다 저렴하다는 장점이 있습니다.

이렇듯 A씨 부부처럼 연령대가 젊고 미래 소득이 높아질 것으로 기대되는 경우에는 선택지가 매우 다양합니다. 이때 가족 간에 미래 계획에 대해 충분히 이야기를 나누고, 어디까지 감당할 각오가 되어 있는지 논의해보아야 합니다.

사례 2. 초등학생, 중학생 자녀를 둔 중년 부부

40대 중년 부부라면 소득이 가장 많으면서 한동안은 그 소득이 유지될 시기입니다. 번 돈도, 벌 돈도 적지 않지만 곧 지출이 늘어날 시기이기도 하므로 레버리지를 과하게 사용하기보다는 적정 수준에서 투자해야 합니다. 또한 자녀의 학교 등을 생각해 정착해야 할 시기이므로 당장의 실거주를 염두에 두고 집을 매수해야 하죠. 40대 B씨 부부의 사례를 살펴보겠습니다.

가족 구성	4인(맞벌이 부부 / 15세, 12세 자녀)
연령	40대 중반
목표	자녀가 성장하여 지금 집보다 조금 더 좋은 곳으로 갈아타기를 하고자 함
대출	1억 5,000만 원(현재 거주지의 주택담보대출)
활용 가능 레버리지	대출 / 시간
연소득 (부부 합산)	세전 8,000만 원 / 세후 7,000만 원
저축 가능액	소득의 30%, 약 2,100만 원
현재 자산	총 6억 5,000만 원 -현금성 자산 1억(주식 5,000만 원, 예금 5,000만 원) -부동산 자산 5억 5,000만 원(실거주 중인 아파트 1채)

40대 중반의 B씨 부부는 맞벌이를 하여 현재 소득이 높은 편이며 앞으로 10년 이상 추가 근로소득을 얻을 수 있는 상황입니다. 하지만 자녀가 성장함에 따라 교육비 및 생활비가 급격히 증가할 것으로 예상됩니다. 이 부부의 주택 구매 능력을 계산해보면 8억 6천만 원이 나옵니다. A씨 부부보다 자산은 많지만 1년 저축액은 오히려 낮기 때문에 대출 감당 금액은 2억 1천만원으로 줄어듭니다. 향후 자녀들에게 교육비가 많이 들어갈 수 있으므로 무리한 투자를 할 수도 없습니다.

이런 상황에서 전세 레버리지를 이용해 집의 규모를 늘리기는 부담스러울 수밖에 없습니다. B씨 부부의 경우는 현재 거주하는 집을 매각한 뒤 대출을 좀 더 일으켜서 8억 중후반의 집을 매수해 실거주하는 것이 가장 안전한 선택일 수 있습니다. 이때 B씨 부부는 초등학생, 중학생 자녀가 있으므로 교육 환경을 우선적으로 고려해야 합니다. 예를 들어, 집값이 비싼 서울에서 낙후된 주거 환경의 집을 구하는 것보다 경기권의 괜찮은 주거 환경의 집을 구하는 것이 나을 수 있죠. 아니면 오래된 구축 아파트로 이동하면서 평수를 넓힐 수도 있습니다. 같은 돈으로 무언가를 얻으려면 다른 하나는 포기할 수밖에 없습니다.

한편 중년 부부 중에서는 재건축·재개발에 투자해서 소위 '몸테크'를 선택하려는 분들도 있습니다. 이때는 개발에 10년 이상 소요될 수도 있으며 실거주가 매우 불편할 수 있다는 점을 명심하고, 가족 모두의 동의를 구해야 합니다. 다만 자녀가 초등학생 이상이라면 무리한 몸테크보다는 실거주성을 우선적으로 고려하는 편이 좋다고 생각합니다.

8 부

'부동산은 입지가 중요하다!'

이런 말을 정말 많이 들어보았을 것입니다.

이번에는 입지 분석의 기술을 이야기합니다.

입지를 구성하는 요소에는 무엇이 있는지,

어떤 기준을 통해 입지를 분석해야 하는지,

지방과 수도권의 입지 분석은 어떻게 다른지 등

입지 분석에 대해 알려드리겠습니다.

반드시 알아야 하는
입지 분석의 기술

32 강남의 40년 된 아파트로 알아보는 입지 분석의 기술

"그렇게 낡은 아파트를 그 가격 주고 사다니, 진짜 말이 안 된다."

서울 강남의 높은 아파트값을 논하는 기사가 뜨면, 인터넷 댓글 창에 꼭 이런 댓글이 달립니다. 특히 외관상으로도 매우 낡은 '압구정 현대아파트' 같은 곳을 두고 이런 말들을 많이 합니다. 너무나도 낡았는데 그 어느 곳보다도 비싸니 이해할 수 없다는 것입니다.

누구나 구축 아파트보다 신축 아파트를 더 선호하는 것은 사실입니다. 그러니 40년 된 아파트가 40억 원을 넘나드는 상황을 이해하기 힘듭니다. 그런데 집값을 결정하는 요소가 단순히 '신축' 여부에만 있는 것은 아닙니다. 이번 장에서는 집값을 결정하는 여러 요소가 실제로 어떻게 작용하고 있고, 어떤 결과로 이어지는지를 실제 예시를 통해 알아보고자 합니다.

40년 된 아파트가 40억이 넘는 이유

집의 가격은 '대안의 부재'가 만듭니다. 즉 더 나은 곳이 없으면 없을수록 수요가 몰리면서 집의 가치가 상승하죠. 대안의 부재는 여러 요인에서 기인합니다. 다른 곳에 비해 위치가 매우 좋고 편리하거나, 사람들의 많은 관심이 집중된 지역 혹은 상품이거나, 이곳에 산다는 것만으로도 우월감을 느낄 수 있다면 가격이 상승할 수 있습니다.

이런 요소들을 모두 갖춘 곳이 강남입니다. 1권 기초편에서 설명했듯이, 강남 도심은 처음부터 택지지구로 개발되었다는 특징이 있습니다. 다른 업무지구(광화문, 여의도)와 달리 기업체와 주거지역이 함께 들어설 수 있었죠. 주중에도, 주말에도 사람이 많으니 교통이나 상업 시설, 문화 시설 및 기타 인프라가 발달하게 되었습니다. 살기 좋은 곳이 사람들을 끌어들이고, 사람들이 모이니 더욱 살기 좋아지는 선순환이 일어납니다. 이것이 바로 부동산에서 말하는 '입지가 좋은 곳'의 특징이죠.

그럼 입지가 좋다고 여겨지는 압구정 현대아파트를 예로 들어,

역으로 입지를 분석하는 방법을 설명하겠습니다.

① 직주근접

사람들이 집을 구할 때 가장 중요하게 보는 요소 중 하나가 직장과의 거리입니다. 기업체와 종사자가 많은 곳 혹은 지역으로 이동이 편리한 곳에 주택이 많이 생겨나는 이유입니다. 다음 표를 통해 서울의 기업체 수를 살펴봅시다.

구	기업체 수 (단위: 개)			총 종사자 수 (단위: 명)
	종사자 500~999명	종사자 1,000명 이상	합계	
강남구	71	38	109	698,840
서초구	55	34	89	438,985
중구	49	28	77	392,568
종로구	37	23	60	260,446
영등포구	44	40	84	373,478
마포구	23	14	37	247,276
송파구	31	16	47	341,201
금천구	13	11	24	242,686
동작구	9	7	16	106,159
구로구	11	6	17	225,668
⋮	⋮	⋮	⋮	⋮

출처: 국가통계포털 KOSIS(2019년 기준)

표를 보면 종사자 500명 이상의 기업이 강남구와 서초구에 몰려 있음을 확인할 수 있습니다. '강남 도심'으로 본다면 198개로, 광화문 도심(중구/종로구)과 여의도 도심(영등포구/마포구)을 합친 것과 맞먹습니다.

강남구에 위치한 압구정 현대아파트는 강남 도심의 수많은 사업체와 직주거리가 매우 가깝죠. 집값이 오를 첫 번째 요소를 갖춘 셈입니다.

② 편리함

주택의 여러 조건 중 실거주 측면에서 사람들이 가장 중요하게 생각하는 것이 '교통의 편리함'입니다. 강남은 어디에서나 지하철 역이 가깝고, 버스가 자주 다니고, 도로가 잘 뚫려 있습니다. 하지만 그냥 강남이라서, 혹은 부자가 많으니까 교통이 편리해졌다고 오해해서는 안 됩니다. 앞서 이야기했듯 강남은 기업체가 많은 데다가 거주 인구가 많기 때문에 교통의 필요성이 점점 커지게 되었습니다. 강남이라서 교통이 발달한 게 아니라, 그럴 수밖에 없는 환경이었던 것입니다. 교통의 편리함 또한 집값을 끌어올리는 요소가 되었습니다.

압구정 현대아파트의 경우 걸어갈 수 있는 거리에 3호선과 수인분당선이 있고, 바로 앞에 올림픽대로가 있으며, 동호대교와 성수대교가 연결되어 있어 어디로든 이동하기에 편리합니다.

③ 인프라와 여가 생활

여러 상업 시설과 문화 시설을 비롯해 여가를 즐길 만한 시설이 두루 갖춰지면 사람들이 몰려들 수밖에 없습니다.

압구정 현대아파트 바로 앞에는 한강공원이 있고, 현대백화점과 갤러리아백화점이 걸어서 갈 수 있는 거리에 있으며, 신사동 가로수길, 압구정 로데오거리나 청담동 명품거리도 가깝습니다.

④ 학군과 학원

우리나라는 교육열이 높기로 유명합니다. 집을 구할 때도 학군이 좋은 곳으로 수요가 몰리는 현상이 일어나는데, 압구정 현대아파트는 단지 내에 초등학교와 중학교, 고등학교가 모두 있어서 학생들이 편하게 통학할 수 있으며, 학업성취도평가 역시 최상위 지역 중 하나입니다. 학원가로 유명한 대치동과도 충분히 접근 가능한 거리에 있는 것도 장점이죠.

⑤ 우월감

내가 사는 집이 곧 나의 명함이자 사회적 지위를 보여주는 시대입니다. 이런 우월감은 앞서 이야기한 여러 요소가 더해지고 시너지를 일으켜, 많은 사람들이 선망하는 집이 되었을 때 비로소 생겨납니다. 좋은 기업체가 많은 곳 가까이에 주거 단지가 있어서 고소득자인 사람들이 모여 살게 되었고, 이로 인해 교통과 상업 시설 및 인프라가 발달하며, 자연스레 학군도 발달하면서 누구나 살고 싶어 하는 곳이 되었습니다. 이 모든 요소가 수십 년간 쌓이면서 강남은 부촌이 되었습니다. 그중에서도 대표적 부촌인 강남 압구정에 산다는 것만으로도 우월감을 느낄 수밖에 없는 이유입니다.

⑥ 가치 상승에 대한 기대감

집값은 현재 가치만으로 결정되지 않습니다. 미래에 이곳의 집값이 오를 거라는 기대감이 현재의 가치 이상으로 집값을 높이기도 합니다. 재건축이나 재개발 또한 커다란 호재로 작용합니다. 오래된 것이 새것이 되면 가격이 오를 수밖에 없기 때문입니다.

압구정 현대아파트 또한 그렇습니다. 특히 압구정 현대아파트 1차와 2차는 무려 1976년에 지어졌고, 이후 14차까지 순차적으로 지어졌지만 대부분은 40년을 훌쩍 넘겼죠. 앞서 말한 여러 요소가 더없이 뛰어난데 오직 하나, 집이 낡았다는 것만이 유일한 단점입니다. 만약 재건축을 통해 이러한 단점마저 보완된다면 그야말로 대안이 없는 곳으로서 명실상부한 강남의 '대장 아파트'가 될 수 있습니다. 이것이 바로 40년이 훌쩍 넘은 구축 아파트가 평당 1억 원이 넘는 가격에 거래되는 이유입니다.

운명을 바꾸는 부동산 투자 수업_실전편

입지를 분석할 때 꼭 알아야 하는 것들

투자자라면 단순히 아파트의 연식이 집값을 결정하지 않는다는 사실을 알아야 합니다. 입지를 분석하는 기준은 매우 여러 가지입니다. 집을 사기 전에 최소한 다음의 몇 가지를 확인하고, 다른 지역의 집과 비교 분석한 뒤에 결정하기 바랍니다.

□ 이 지역의 (종사자 수에 따른) 기업체 수는 얼마인가?

□ 이 지역의 아파트 공급 상황은 어떠하며 앞으로의 공급 계획은 어떠한가?

□ 교통은 편리한가? 지하철역 개통 계획이 있는가?

□ 학군은 잘 갖춰져 있는가? 가까운 곳에 학원가가 있는가?

□ 상업 시설은 충분한가?

□ 여가 시간을 보낼 만한 시설이 잘 갖춰져 있는가?

□ 이 집 또는 이 지역에서만 누릴 수 있는, 다른 사람들이 부러워할 만한 무언가가 있는가?

□ 그 밖에 다른 호재들이 있는가?

33

5년 된 신축과
20년 된 구축,
같은 값이면 어디를 살까

"결혼을 앞두고 경기도에 집을 구하는데 비슷한 가격대의 아파트를 두고 고민 중입니다. A아파트는 역세권이라 교통이 좋은 편이지만, B아파트는 버스를 타고 지하철을 타러 가야 해서 불편해요. 문제는 A아파트가 20년 된 구축이고, B아파트는 5년이 채 안 된 신축이라는 점입니다. 교통을 비롯한 주거 인프라는 A아파트가 좋긴 하지만 사실 저희 부부는 이왕이면 새 아파트에 살고 싶거든요. 교통의 불편함을 감수하고 B아파트를 사는 게 맞을까요?"

아마 비슷한 고민을 해본 적이 있을 겁니다. 한정된 예산으로 완벽히 내 마음에 드는 물건을 구하기는 쉽지 않으니까요. 특히 '인프라는 좋은데 구축인 아파트'와 '인프라는 별로지만 신축인 아파트' 사이에서 고민하는 분들이 많습니다. 당신은 어느 쪽에 더욱 무게를 두나요?

모든 가격에는 이유가 있다

사람마다 처한 상황이 다르고 물건마다 가치가 다르니 쉽게 답하기 어려운 질문입니다. 또한 앞으로 일어날 변수도 고려해야 합니다. 예를 들어 지금은 B아파트의 교통이 불편하지만 몇 년 뒤 인근에 지하철이 들어설 수도 있죠. 그러면 신축이면서 교통이 개선될 가능성이 있는 B아파트의 매수를 조금 더 적극적으로 고려할 수도 있습니다.

그런데 앞으로 몇 년간 물건의 가치에 미칠 변수가 딱히 없을 때는 어떨까요? 구축 아파트가 신축 아파트와 가격이 같은 게 의아하게 느껴진다면, 저는 '왜 지금의 가격이 형성되었는가'를 생각해보라고 권합니다. 대부분이 신축 아파트를 선호하는데도 신축과 구축의 가격이 같다면 거기에는 분명히 이유가 있습니다.

아파트의 현재 시세는 집값을 결정하는 거의 모든 요소가 합쳐진 결과입니다. 시세란 매수자와 매도자가 그 가격에 서로 동의할 때에만 의미가 있습니다. 이것이 바로 제가 세상에 저평가된 집은 없다고 말한 이유입니다. 모든 집은 제 가치대로 평가받고 있는 셈이죠. 그러니 '신축인데도 이 가격인 이유', '구축인데도 이 가격인 이유'를 생각해볼 필요가 있습니다. 지금부터 그 이유를 한번 생각해봅시다.

① 오래된 것은 새것이, 새것은 오래된 것이 된다

B의 가장 큰 장점은 신축이라는 것입니다. 그런데 세상 모든 것은 시간이 지나면 낡게 마련입니다. B도 언젠가 구축이 된다는 뜻입니다. 시간이 지나면 B아파트도 구축이 되고, 건물의 감가상각이 발생합니다. 그런데 오히려 20년 된 A아파트는 시간이 지날수록 재건축이나 리모델링 등 변화의 가능성이 생깁니다. 물론 그렇게 쉽게 진행되지는 않겠지만, 적어도 가능성은 있습니다. 이는 하나의 호재가 됩니다. 꼭 현실화되지 않아도 됩니다. 단순히 재건축이나 리모델링에 대한 기대감만 생겨도 집값은 오를 수 있으니까요. 부동산을 볼 때는 늘 오래된 것은 새것이, 새것은 오래된 것이 된다는 사실을 기억해야 합니다.

② 입지는 단기간에 변화하기 어렵다

부동산은 말 그대로 풀이하면 '옮길 수 없는 자산'입니다. 위치가 고정되어 있는 자산이므로 입지가 단시간에 변화하기는 어렵습니다. 두 아파트를 비교해봤을 때, '편리한 교통 환경'이라는 A아파

운명을 바꾸는 부동산 투자 수업_ 실전편

트가 가진 입지의 장점은 매우 강력합니다. 반면 B아파트의 교통이 개선되려면 상당히 오랜 시간이 걸릴지도 모릅니다. 입지의 차이가 지금의 아파트 가격을 형성한 큰 요인이라고 할 수 있습니다.

핵심은 변화하기 쉬운 가치와 그렇지 않은 가치를 파악해 종합적으로 판단하는 것입니다. '신축'이라는 B의 장점은 시간이 지나면 사라지지만 '교통이 편리하다'는 A의 장점은 몇 년 뒤에도 그대로입니다. 단순하게 생각해보면, '어느 쪽이 시간이 흘러도 유지되는 가치를 더 가지고 있는가'를 따져봐야 합니다.

교통, 입지를 결정하는 매우 중요한 요소

비슷한 연식이고, 비슷한 가격으로 출발했는데 시간이 지나 부동산 가격이 달라지는 경우가 있습니다. 결국 입지로 인해 생겨나는 차이인데, 입지에서 결코 빼놓을 수 없는 요소가 바로 교통입니다. 직주근접은 집을 매수할 때 매우 중요하게 고려하는 요소 중 하나죠. 이는 집값의 차이를 만들어냅니다. 예를 들어, 경기도에 위치한 1기 신도시(성남시 분당, 안양시 평촌, 고양시 일산, 부천시 중동, 군포시 산본)는 모두 비슷한 시기에 건설되었습니다. 이 중 30년간 집값의 상승 폭이 가장 큰 도시는 분당이었죠. 우리나라에서 가장 큰 업무지구인 강남과의 접근성이 좋다는 점이 가장 큰 차이였습니다. 강남이 발전할수록 가장 접근성이 좋았던 분당이 그 혜택을 본 것이죠. 최근 교통 이슈의 핵심은 수도권 광역급행철도 GTX(Great Train Express)입니다. GTX가 어떻게 진행되는지에 따라서 또다시 시장의 평가가 바뀔 수도 있습니다.

요컨대 집을 살 때는 신축, 구축 같은 어떤 한 가지 요소만 고려해서는 안 됩니다. 시간의 흐름에 따라 가치가 변하는 것이 무엇인지를 알고, 그 변화가 어떤 영향을 끼칠 것인지를 비교해보고 접근해야 합니다.

> 5년 차 신축 아파트 A와 20년 된 구축 아파트 B의 가격이 같은데,
> 어디를 사야 할까?

↓

> 몇 년 안에 A와 B 아파트의 가치가 변하는
> 구체적인 호재가 있는지 알아본다

↓

> 변하는 요소(연식) 외에 쉽게 변하지 않는 요소
> (교통, 인프라, 학군, 우월감) 등을 따져본다

↓

> 위의 요소들을 점검하여 미래 가치가 높아질 곳을 사되
> 자신의 상황을 고려하여 종합적으로 결정한다

34

호재 하나만 보고
움직이지 마라

"어디 호재 있는 지역 없나요?"

이렇게 묻는 분들이 많습니다. 부동산에서 '호재'란 쉽게 말해 없던 것이 생겨남으로써 인프라를 획기적으로 개선해주고, 사람들로 하여금 그 지역에 살고 싶게 만들어주는 무언가를 말합니다. 대표적으로는 지하철, 도로 개통 등의 교통 호재가 있습니다. 주로 지하철로 출퇴근을 하는 수도권에서는 지하철 개발 계획에 민감하게 반응하는 편이고, 땅이 넓은 지방에서는 도로 개통이 호재가 되죠. 사람들이 좋아하는 복합 쇼핑몰이나 백화점, 문화 시설이 들어서는 것도 호재입니다. 그런가 하면 일자리를 창출하는 기업의 입주도 지역에서 크게 반기는 일입니다. '오래된 것'이 '새것'으로 탈바꿈하는 재개발이나 재건축은 두말할 것도 없죠.

이번 장에서는 지역에 어떤 호재가 있는지를 어떻게 알아봐야 하는지, 또 주의해야 할 점은 무엇인지 살펴보겠습니다.

호재가 판단의 첫 번째 기준은 아니다

먼저 분명히 할 점이 있습니다. 투자할 때 호재를 첫 번째 기준으로 삼을 수는 없다는 것입니다. 특히 내 집 마련을 할 때 호재는 중요한 참고 지표이지, 첫 번째 결정 기준이 될 수는 없습니다. 내가 가진 자산, 직장과의 거리, 주변 인프라 등을 고려하여 집을 마련해야 합니다.

사실 호재가 현실화되기까지는 굉장히 오랜 시간이 걸릴 수 있습니다. 오늘날 많은 사람이 관심을 갖는 GTX만 봐도 그렇습니다. GTX-A 노선은 애초에 2023년 말에 개통 예정이었으나 지연이 불가피한 상황이고, B나 C 노선은 아직 착공도 하지 않았죠. 교통 호재를 보고 집을 매수했는데 실제로 지하철을 이용하기까지는 십수 년 이상이 걸릴 수도 있습니다. 심지어 호재라고 생각했던 계획이 취소되는 일도 빈번합니다. 호재 하나로 집값이 오를 것을 기대하며 내가 실거주하기 어려운 집을 매수하거나, 감당하지 못할 만큼

운명을 바꾸는 부동산 투자 수업_실전편

비싼 집을 사는 것은 바람직하지 않습니다. 모든 면을 따져보았을 때 적합할뿐더러 호재까지 있어서 미래 가치가 크게 오를 만한 곳을 매수하겠다는 전략적 접근이 필요합니다.

호재를 찾는 가장 간단한 방법

지금처럼 인터넷이 발달하기 이전에는 호재를 알아보는 창구가 '지인'일 때가 많았습니다. '누가 그러던데 여기 재개발된다더라' 하는 식의 정보가 떠도는 것이죠. 그런데 사람들의 입에서 입으로 이어지는 정보는 불확실합니다. 투자자라면 절대 검증되지 않은 호재를 믿고 덜컥 투자해선 안 됩니다. 정보의 시대를 사는 오늘날에도 마찬가지입니다. 인터넷 카페나 블로그의 정보를 너무 신뢰하지 않기를 바랍니다.

저는 초보자가 가장 쉽게 호재를 찾을 수 있는 방법으로 '네이버부동산(land.naver.com)'을 추천합니다. 지역별로 호재를 찾아보기 쉽고, 진행 상황까지 알아볼 수 있습니다. 이제 방법을 안내하겠습니다. 하나하나 따라가며 지금 살고 있는 지역이나 관심 있는 지역의 호재를 한번 찾아보세요.

① 세부 지역 설정 및 개발 정보 확인

네이버부동산 메인 화면에서 내가 원하는 지역을 검색해보세요. 세부 지도가 나오는데, 이 지도에서 자신이 원하는 구나 군 등에 마우스 커서를 올려놓으면 빨갛게 변하고, 그 안에서도 특정 동을 선택할 수 있습니다. 이렇게 알아보고 싶은 지역을 구체적으로 정했다면 다음은 화면 오른쪽에 세로로 길게 나타난 바의 가장 위 항목 '개발'을 클릭하세요.(그림 1)

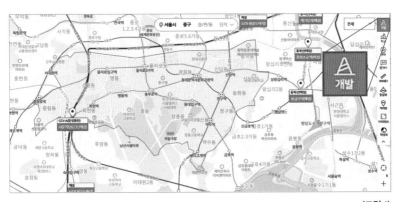

(그림 1)

그러면 화면에 여러 정보가 나타납니다. 지도에 나타난 정보를 통해 택지지구가 어느 지역에 계획되어 있는지, 지하철이 들어서는 곳은 어디인지 등 각종 호재를 확인할 수 있습니다. 화면 오른쪽 아래의 +와 -로 지도의 축적을 조절할 수 있는데, 특히 +로 배율을 확대하면 더 자세한 정보를 알 수 있습니다.

운명을 바꾸는 부동산 투자 수업_실전편

(그림 2)

배율을 확대하면 화면에 파랗게 표시되는 부분들이 있는데, 정비
구역 내지는 계획구역입니다. 참고로 화면 상단 오른쪽 위의 '단지'
를 클릭하면 실제 매물의 가격 정보를 확인할 수 있습니다.(그림 2)

② 진행 상황 확인

호재는 기본적으로 시간 레버리지를 활용하는 방법입니다. 지하
철 개통이나 정비구역, 재개발 등은 계획 발표부터 완료까지 짧게
는 2~3년에서 길게는 15년 이상 소요되죠. 그러니 실제로 호재가
어느 정도 진행되어 있고 언제 완료될 예정인지 확인하는 과정은
필수입니다. 방법은 간단합니다. 예를 들어 그림 3의 화면 왼쪽 상
단을 보면 GTX-A(운정-동탄)가 '공사 중'으로 표시되어 있는데 언
제 개통되는지 알고 싶다면 마우스로 클릭해보면 됩니다.

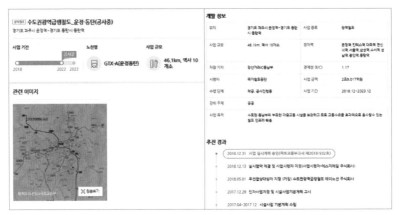

(그림 3)

화면 왼쪽에 사업 기간이 표시되는데, 2023년 완공 예정이라고 적혀 있습니다. 조금 더 아래로 내려보면 그림 3의 오른쪽과 같이 개발 정보가 자세히 표시됩니다. 사업 기간이 2023년 12월까지라고 적혀 있죠. 단순히 생각하면 2023년 12월 또는 2024년 상반기 중에 GTX-A 개통을 목표로 공사가 진행 중이라고 이해할 수 있습니다. 다만 지하철 개통은 애초의 계획보다 훨씬 지연될 때가 많으니 별도 검색을 통해 진행 사항을 체크해봐야 합니다.

물론 여기에 모든 호재가 등록되는 것은 아닙니다. 개발 계획 표시가 없어도 실제 추진되고 있는 교통 등의 개발 호재들이 많습니다. 그러나 초보자들이 어디서 어떻게 시작해야 할지도 모를 때 네이버부동산은 큰 도움이 됩니다.

③ 구체적인 정보 추가 조사

네이버부동산으로 알 수 없는 정보라면 추가 조사가 필요한데, 간단히 인터넷에 검색해보는 것만으로도 많은 정보를 알 수 있습니다. 예를 들어, 그림 2에 표시된 '남대문 정비구역'에 대한 정보를 알고 싶다면 인터넷에 '남대문 정비구역'이라고 검색을 하는 거죠. 그럼 신문기사를 비롯해 블로그나 인터넷 커뮤니티에 올라온 각종 정보를 찾을 수 있습니다. 100% 신뢰할 수는 없으나, 최대한 많은 기사나 글을 읽어보면 어느 정도 필요한 정보를 얻을 수 있습니다.

또한 네이버부동산에서는 백화점이나 쇼핑몰 호재는 찾을 수 없는데, 인터넷 검색으로 어느 정도 해결할 수 있습니다. 내가 알아보는 지역에 백화점이 들어설 계획이 있는지, 언제 들어서는지 등을 알고 싶다면 지역 이름과 함께 '백화점 착공'이라고 검색해보세요. 이것만으로도 기사나 블로그 글을 통해 정보를 찾을 수 있습니다. 착공 시기가 확인되면 개점 시기도 대략적으로 파악할 수 있죠.

④ 현장 방문은 필수

이제 클릭 몇 번으로 호재를 파악할 수 있게 되었습니다. 그런데 마지막으로 꼭 해야 할 일이 남았습니다. 반드시 현장에 직접 가보는 것입니다. 지도나 글로는 볼 수 없는, 현장에 가야만 알 수 있는 것들이 분명히 존재하기 때문이죠. 또한, 인근 주민들이나 공인중개사들을 통해 그곳에 살아본 사람만이 알 수 있는 정보를 직접 들을 수 있습니다. 투자할 곳에서 무엇을 보고 임장은 어떻게 해야 하는지에 대해서는 이 책의 9부에서 보다 자세히 설명하겠습니다.

부자 되는 꿀팁

네이버부동산 이외에 부동산 호재를 검색하는 방법에는 여러 가지가 있습니다. 먼저, 국토교통부 보도자료를 찾아볼 수 있습니다. 다만 초보 투자자가 자료를 토대로 해석까지 해내기에는 버거우므로 이 방법은 추천하지 않습니다. 그다음으로는 관심 있는 지역의 호재를 블로그에서 찾아보는 방법이 있습니다. '○○동 호재'를 검색해보는 것이죠. 의외로 이런 간단한 방식으로도 좋은 정보를 찾을 수 있습니다. 생각보다 많은 사람이 블로그를 통해 자신이 사는 동네 혹은 관심 지역의 자료를 정리해서 올리고 있으며, 해당 지역 공인중개사가 올린 글도 많기 때문입니다. 검색을 통해 호재를 정리해보고, 신문기사 등을 추가 검색하여 최신 자료를 찾아 자료의 신뢰성을 확보하면 됩니다.

마지막으로 서점을 방문하는 것도 좋은 방법입니다. 부동산 투자서 중에서는 지역별 개발 계획이나 호재를 정리해놓은 책이 많습니다. 믿을 만한 정보를 보기 좋게 정리해놓았으므로 참고하면 투자에 많은 도움을 얻을 수 있습니다.

호재를 찾을 때 꼭 기억해야 하는 점이 있습니다. 한 가지 방법으로 짧은 시간에 완벽하게 호재를 찾아내겠다는 생각은 버려야 한다는 것입니다. 모든 호재가 한 번에 정리되어 있는 자료를 찾기는 어렵습니다. 어디에서든 호재에 대한 힌트를 얻고, 그 힌트를 발전시키는 것이 관건입니다. 마치 퍼즐 조각을 맞추듯이 다양한 방법을 통해 호재를 찾아보고, 그 호재가 확실한 정보인지 확인합니다. 그리고 다른 호재는 없는지 다양한 방식으로 찾아보길 바랍니다.

운명을 바꾸는 부동산 투자 수업_ 실전편

35 학군불패의 신화를 믿지 마라

부동산 투자를 처음 하는 분들이 자주 하는 실수가 있습니다. 어떤 한 가지 요소만 따져서 매수를 결정하는 것입니다. 예를 들어, '요즘엔 신축이 대세'라며 신축 아파트만을 고집하거나 '교통이 좋으면 모든 것이 해결된다'라며 초역세권 아파트만 살펴보는 식입니다. 그러나 어떤 한 가지 요소가 집값을 크게 끌어올려줄 것이라는 믿음은 위험합니다. 그 군건한 믿음 중에는 학군불패, 즉 '학군 좋은 지역은 집값이 무조건 오른다'라는 선입견도 있습니다. 하지만 학군이 집값을 높여준다는 말은 선후 관계가 바뀐 것입니다. 학군은 수요를 어느 정도 끌어당기고 지탱해주는 요소 중 하나일 뿐이지, 절대적으로 집값을 올려주는 요소가 아님을 명심할 필요가 있습니다.

학군 때문에 비싸지는 게 아니라
비싸지면 학군이 좋아진다

'학군'이 뭘까요? '학군 좋은 지역'이라고 하면 사람들은 대부분 대규모 학원가가 형성되어 있는 몇몇 지역을 떠올립니다. 서울에서는 대치동, 목동, 중계동을 예로 들 수 있습니다. 이런 지역들은 좋은 상급학교(중학생이라면 특수목적고등학교나 명문 고등학교, 고등학생이라면 명문 대학교)로의 진학률이 높은 편입니다.

그런데 이를 두고 '학군이 형성되면 집값이 비싸진다'고 착각을 해서는 안 됩니다. 집값이 비싼 곳의 학군이 좋아지는 것입니다.

① 직장이 많은 지역 인근에 아파트가 대규모로 들어선다.
② 그 지역에서 일하는 고소득자들이 해당 아파트에 대거 입주한다.
③ 이들의 자녀들을 수요로 삼아 인근의 비교적 저렴한 지역에 학원이 생기기 시작한다.
④ 학원이 하나둘 늘어나면서 입소문을 타기 시작하면 주위의 학원들도 몰려든다.
⑤ 학원가가 형성된다.

운명을 바꾸는 부동산 투자 수업_ 실전편

현재 학원가로 유명한 곳들은 대체로 이러한 순서로 형성되었다는 사실을 알 수 있습니다.

학원가는 주변에 어느 정도 '임대료가 저렴한 지역'이 있어야 생겨납니다. 강남 테헤란로 근처에서 학원을 찾아보기 힘든 이유는 땅값이 너무 비싸서 학원이 임대료를 감당할 수 없기 때문입니다. 보통 고소득자들이 다수 모여 있는 대단지 아파트를 배후지로 삼아 학원가가 형성됩니다. 아이들 학원을 직장인처럼 무작정 멀리 보낼 수는 없기 때문입니다. 예를 들어, 강남에 고소득자들이 모여 살기 시작했고(배후지 형성), 그 일대에서 비교적 상가 임대료가 저렴한 동네(대치동)에 학원이 하나둘 생겨나 자리 잡는 식입니다. 개발 초기 여의도의 배후지 역할을 했던 목동에 학원가가 형성된 것도 마찬가지입니다.

경기도나 지방 광역시, 소도시도 같은 원리입니다. 어떤 택지지구에 신축 아파트가 대규모로 들어서면, 그 지역은 신흥 부촌이 됩니다. 그럼 그 근처에 학원이 들어서기 시작하고 새로운 학군지가 형성되죠. 수도권에서는 일산, 분당, 평촌을, 지방에서는 대구 범어동이나 울산 신정동, 광주 봉선동 등을 꼽을 수 있습니다.

한편 학원가가 새롭게 형성되는 과정을 알고 싶다면 마포 쪽을 주목해보면 됩니다. '마포래미안푸르지오'로 대표되는 대단지 아파트가 아현, 공덕동 일대에 들어서면서 광화문과 여의도 일대의 고소득자들이 마포에 거주하기 시작했습니다. 자연스레 학원에 대한 수요가 늘어났고, 인근에 그나마 임대료가 저렴한 대흥역 주변으로 학원들이 계속 늘어나는 추세입니다. 대치동 유명 학원들의 분점이 계속해서 이곳에 자리를 잡는 이유가 바로 이 때문입니다.

학군 좋은 지역을 찾는 간단한 방법

앞서 이야기했듯이 학군을 주택 매수를 결정하는 절대적인 요소로 삼는 것은 옳지 않습니다. 하지만 무시할 만한 요소도 아닙니다. 기존 수요가 떠나지 않고 계속 머물게 하는 역할을 하기 때문에, 해당 지역에 지속적인 공급 부족 현상을 만들 가능성이 있기 때문입니다. 무엇보다 학생을 둔 학부모라면 집값을 떠나 아이 교육을 위해서라도 학군을 따질 수밖에 없죠. 그럼 학군이 좋은 곳을 어떻게 찾아볼 수 있을까요? 여기서는 2가지 방법을 소개합니다.

① 호갱노노: 학원가 많은 지역을 찾자

자녀 교육에 관심이 많은 학부모들은 학원가 가까운 곳을 찾을 확률이 높습니다. 학원의 숫자가 많은 곳을 찾아보면 어느 정도 학군을 판단할 수 있죠. 학원가가 크게 형성된 곳에서는 학원끼리의 경쟁이 더욱 치열하니 좋은 학원이 많습니다.

'호갱노노(hogangnono.com)' 사이트 또는 모바일 앱을 이용하면

어느 지역에 학원이 몇 개나 있는지를 쉽게 알아볼 수 있죠. 여기서는 모바일 앱을 중심으로 설명하겠습니다. 앱을 열고 상단 검색창에 지역을 검색한 다음, 왼쪽 바에서 '분석' 탭을 엽니다. 그중 '학원가'를 선택하면 지도에 학원이 모여 있는 지역과 개수가 표시됩니다.

위 지도에서 보라색으로 표시된 부분이 바로 중계동 학원가입니다. 225개의 학원 개수와 '서울 2위'가 함께 표시되어 있습니다.

② 아파트실거래가: 학업성취도평가 점수를 비교해보자

'아파트실거래가(아실)'라는 모바일 앱을 통해 각 지역 학교의 학업성취도평가 점수를 확인할 수 있습니다. 먼저 메인 화면에서 '학군 비교'를 누르고, 검색하고 싶은 지역을 체크합니다.

학원가가 형성되어 있다고 알려진 일산 서구와 안양 동안구를 검색해봅니다. 일산 후곡 학원가 근처의 오마중학교, 평촌 학원가의 귀인중학교, 범계중학교 등이 눈에 띕니다. 이곳의 학업성취도평가 점수는 90%가 넘을 정도로 높습니다. 학업성취도평가가 학군의 우열을 나타내는 것은 아니지만, 수치가 높다면 기본적으로 해당 지역의 학구열 또한 높으리라고 유추해볼 수 있습니다.

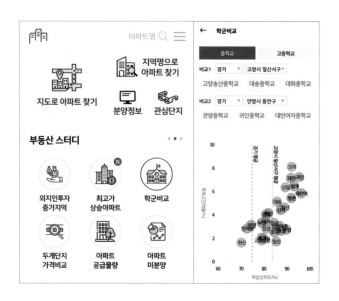

어디에 새로운 학원가가 만들어질 것인가

이번 장을 통해 우리는 좋은 학군이 형성되는 과정과 학군이 좋은 지역을 찾는 방법을 알아보았습니다. 또한 앞으로 새로운 부촌이 생겨나는 곳에는 학원가가 함께 발전하고, 학군 또한 좋아질 수 있다는 가능성도 알 수 있었습니다.

경기도 수원 광교신도시 또한 학군이 새롭게 만들어지고 있는 지역입니다. 신도시로 형성된 광교는 수원 내에서 가장 비싼 지역이 되었으며 이곳 주위에 지속적으로 학원이 밀집되고 있습니다. 그에 따라 광교 내 학교들의 학업성취도가 높아지는 추세죠. 시간이 갈수록 수원 내 최고 학군으로 발전할 가능성이 높으리라 유추해볼 수 있습니다. 그러면 이곳에 대한 수요가 계속해서 쌓이는 효과가 나타날 것입니다.

내가 살고 있는 지역과 그 주변의 학군은 어떤가요? 내가 투자할 지역의 학군은 좋아질 가능성이 있을까요? 그 이유는 무엇일까요? 마지막으로 학군을 어느 정도로 비중으로 두고 투자하면 좋을까요? 스스로 질문을 던지며 정답을 찾아가면 좋겠습니다.

36

수도권과 지방의 입지 분석, 달라야 하는 이유

"입지를 볼 때 교통이 중요하다는 말을 많이 하는데, 제가 투자하려는 지방 아파트 근처에는 지하철역이 없어요. 그럼 여긴 입지가 나쁜 곳인가요?"

부동산은 '입지'가 중요하고, 입지를 판단하는 요소 중 직장과의 거리(직주근접)는 매우 중요하다고 재차 강조했습니다. 하지만 수도권 입지를 판단하는 방식으로 지방 중소도시를 파악하면 잘못된 결정을 내리기 쉽습니다.

위의 질문에 답하면, 투자하려는 지방 아파트 근처에 지하철이 없다고 해서 입지가 나쁘다고 보기는 어렵습니다. 왜 그럴까요? 이번 장에서는 수도권과 지방에서 입지를 보는 기준이 어떻게 달라야 하는지 알아보겠습니다.

도시보다는 권역을 중심으로 보라

먼저 알아두어야 할 것이 있습니다. 입지를 파악할 때 지역보다는 '권역' 중심으로 살펴보아야 한다는 점입니다. 대부분 입지를 볼 때 특정 도시를 중심으로 파악하는 경향이 있습니다. 서울, 수원, 대구, 부산 등 지역으로 구분하는 식이죠. 저는 지역이 아닌 '권역'을 중심으로 살펴보기를 권합니다.

'권역(圈域)'의 사전적인 의미는 어떤 특정한 범위 안의 지역입니다. 부동산에서는 생활권과 직장 등을 공유하고 출퇴근이 현실적으로 가능한 지역을 한데 아울러 '권역'이라고 합니다. 예를 들어, 경기도와 인천은 서울과 함께 '수도권'이라는 하나의 권역으로 묶여 있습니다. 교통이 발달하면서 물리적 거리와 관계없이 시간적 거리가 매우 가까워졌기 때문입니다. 예를 들어 성남 판교에서 서울 강남역까지는 지하철로 20분이 채 걸리지 않습니다. 인천에서 서울로 출퇴근하는 사람도 매우 많고요. 서울 집값이 비싸서, 또는 각자의 사정으로 경기도나 인천에 집을 구했을 뿐, 직장은 서울인 경우가 많습니다. 이런 분들은 하루의 3분의 1 이상을 서울에서 보내는 셈입니다. 이처럼 서울과 경기도, 인천은 하나의 생활권이 된 시대입니다. 칼로 자르듯 도시를 구분하여 들여다보는 것보다 '권역'을 중심으로 파악하는 것이 입지를 제대로 분석하는 방법입니다.

그럼 지방의 권역은 어떻게 나눌까요? 그 지역의 대표 도시를 중심으로 차량 출퇴근이 가능한 도시를 묶어보면 됩니다. 예를 들어 천안-아산, 평택-안성, 구미-대구-경산, 나주-광주, 대전-세종-청주, 창원-김해-양산-부산, 울산-경주-포항 등으로 권역을 나눌 수 있습니다.

같은 권역 내에 '살기 좋은 집'을 찾아라

수도권이든 지방이든 가치 있는 집은 '살기 좋은 집', 특히 '우리 가족이 살기 좋은 집'입니다. 이런 곳은 수요가 꾸준할 수밖에 없습니다. 앞서 32장에서 말씀드렸던 요소들을 따져본다면 조금 더 가치가 높은 집을 매수할 수 있습니다.

집의 가치를 판단할 때는 여러 항목을 따져봐야 합니다. 이때 교통, 자녀 교육 환경, 안전성 항목은 매우 중요합니다. 대부분의 사람들이 교통(직장과의 접근성)과 인프라(삶의 편의성)가 뛰어나며 살기에 안전한 곳을 선호하니까요. 이러한 필수 요소를 충족하면서

구분	요건	세부 사항
필수 항목	① 교통이 좋아서 출퇴근이 수월한가?	지하철, 버스, 도로
	② 자녀를 키우기에 좋은 환경인가?	학군, 초품아, 학원가
	③ 범죄, 사고 걱정 없는 안전한 구조의 집인가?	(고층)아파트, 단지 규모
부가 항목	④ 쇼핑 등의 활동을 하기에 편리한가?	상권 형성, 마트, 대형 쇼핑몰
	⑤ 여가 시간을 효율적으로 누릴 수 있는가?	문화시설, 공원, 강, 호수, 단지 내 커뮤니티
	⑥ 다른 사람들이 부러워하는 곳인가?	우월감(그 동네 대장 아파트 혹은 선호 지역)
	⑦ 기타 호재가 있는가?	지하철역이나 백화점 신설 등

부가 항목까지 갖추고 있다면 금상첨화입니다. 즉, 필수 항목에 가점을 두고 전체 점수를 매겨 투자를 결정하면 됩니다.

지방과 수도권, 입지 기준을 세부적으로 다르게 적용하라

그런데 지방과 수도권의 입지를 분석할 때 세부적인 면에서는 조금 다르게 적용해야 할 필요가 있습니다. 대표적인 2가지를 살펴보겠습니다.

① 교통: 지방은 지하철보다 도로망이 더 중요하다

수도권에서는 대중교통 특히 지하철 유무를 매우 중요하게 여깁니다. 걸어서 몇 분 거리에 지하철이 있는지, 몇 호선이 지나가는지, 근처에 새로운 지하철역이 생길 가능성이 있는지 등을 중요하게 체크해야 하죠. 이는 출퇴근 시 꽉 막히는 도로 특성상 자동차보다는 지하철을 주로 이용하기 때문입니다. 총 6개 노선이 운행하는 부산도 지하철 이용률이 높다고 볼 수 있습니다.

그러나 수도권과 부산을 제외한 다른 권역에서는 상대적으로 지하철의 영향이 적은데, 노선 자체도 적거니와 지하철역이 바로 근처에 없어도 도시 규모가 작아 대부분 자동차로 쉽게 이동할 수 있기 때문입니다. 대구에서 구미로, 울산에서 경주로 출퇴근하는 일이 그리 어렵지 않다는 의미입니다. 이런 권역에서는 지하철 같은 대중교통보다 도로망이 잘 갖춰져 있는지를 더 중요하게 따져봐야 합니다.

② 공급 물량: 지방에서는 '대장 지역'이 바뀌기도 한다

지방의 입지를 분석할 때 반드시 따져봐야 하는 것이 바로 '공급 물량'입니다. 같은 권역 내에 몇 년 안에 신축 아파트가 공급될 가능성은 없는지 꼭 살펴봐야 합니다. 이미 과밀 개발이 이루어진 데다가 땅값이 비싼 수도권에 비하면 지방은 개발의 여지가 많은 편입니다. 넓게 펼쳐진 빈 땅에 새 아파트를 지으면 되니까요. 그러면 입지 좋은 곳에 있던 기존 아파트의 전세가가 흔들리고 심지어 매매가까지 하락할 수 있으니 주의해야 합니다. 아파트실거래가(아실) 등의 모바일 애플리케이션을 통해 공급 물량을 간단히 알아볼 수 있습니다. 메인 화면에서 '아파트 공급 물량'을 누르고, 지역과 기간을 선택하면 바로 확인할 수 있죠.

지방 도시에 신도시 급의 대규모 아파트가 들어서면, 기존의 선호 지역을 제치고 그곳이 아예 '대장 지역'으로 자리 잡는 경우가 있습니다. 충북 청주의 '신영지웰시티'가 좋은 예입니다. 처음에 신영이라는 회사가 섬유공장 부지를 매입해 주상복합아파트를 짓는다고 발표했을 때 사람들의 반응은 시큰둥했습니다. 심지어 초기에

는 미분양이 나기도 했습니다. 신영지웰시티는 청주의 고소득자가 많이 다니는 기업인 하이닉스와 가깝다는 점에서 분명한 장점이 있었지만, 그 외의 입지 요소에서는 뛰어날 것이 없었습니다. 그러나 점차 입주가 시작되고 고소득자들이 고급 주상복합아파트인 신영지웰시티로 하나둘 옮겨오면서, 이곳의 위상이 바뀌기 시작했습니다. 현대백화점과 멀티플렉스 상영관, 복합 쇼핑몰 등이 들어섰고, 인근에 학원가도 형성되면서 지금 이곳은 가히 '청주의 강남'이라고 할 정도로 그 지역에서는 가장 살기 좋은 곳이 되었습니다.

몇 년 안에 내가 매수하려는 집 주변에 대규모 신축 아파트 단지가 들어설 가능성이 있는가? 이 때문에 전세가나 매매가가 큰 영향을 받으며 흔들릴 가능성은 없는가? 지방, 특히 지방 소도시에 투자하고자 한다면 꼭 질문을 던져보기 바랍니다.

해당 권역의 '강남'으로 떠오를 곳을 선점하라

사람들이 지금도 선호하고 있고, 앞으로도 선호할 상품에 투자하는 것이 가장 안전하고 확실합니다. 그러나 그런 상품은 항상 비싸죠. 만약 최선이 무리라면 차선을 택해도 좋습니다. 부동산 시장에서 차선이란 지금은 아니더라도 미래에 사람들이 선호하게 될 지역에 투자하는 것입니다. 사람들이 선호하게 될 지역은 '지금보다

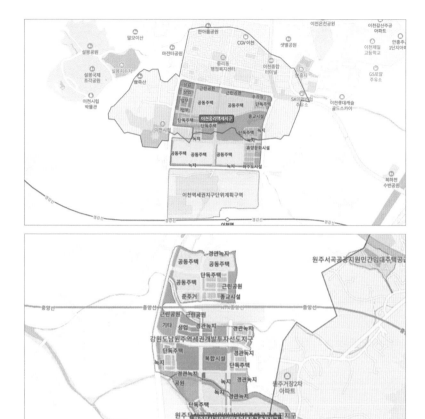

경기도 이천의 중리택지개발지구(위)와 강원도 원주의 남원주역세권개발투자선도지구(아래) 지도. 지방 도시 중에서 역 주변에 대규모 택지지구와 상업지구가 조성되는 경우가 많은데, 해당 도시의 '대장지역'으로 떠오를 수 있을지 눈여겨볼 만하다.

앞으로 살기 좋아질 지역'을 말합니다. 당장은 교통이 좀 불편하더라도 곧 도로망이 구축되어 출퇴근이 편해질 곳, 지금은 인프라가 부족해도 머지않아 상업 시설과 상가가 들어설 곳이죠.

지방이라면 발전 가능성이 있는 곳을 과감하게 선점하는 것도 좋은 투자가 될 수 있습니다. 아직 별다른 인프라가 갖춰지지 않았더라도 곧 그렇게 될 곳을 미리 파악하고 투자한다면, 상대적으로 적은 돈으로도 투자가 가능합니다. 지금도 지방 도시들은 역 주변에 대규모 택지를 조성하여 대단지 아파트와 상업지역을 함께 구축하고 있습니다. 이런 곳들 중 그 지역의 대장을 차지할 만한 곳을 골라보는 것이죠. 단, 주의해야 할 점이 있습니다. 지방의 어떤 지역이 급격히 떠오른다는 말은 다른 지역이 급격히 쇠퇴할 수 있다는 말이기도 합니다. 그렇기 때문에 지방 투자는 타이밍이 중요하고, 공급 물량에 예민하게 반응해야 합니다. 따라서 실거주가 아닌 단순 투자 목적이라면 너무 장기적인 안목으로 바라보기보다 언제든 매각할 준비를 해야 합니다.

내가 사는 집의 입지 분석해보기

부동산 투자에서는 입지를 파악하고 분석하는 능력이 중요합니다. 그 능력을 기르기 위해서는 8부에서 배운 기준으로 입지 분석 연습을 반복해야 하죠. 먼저 '내가 사는 집'의 입지부터 분석해보세요.

위치, 편리, 관심, 우월감으로 따져보자

앞서 주택 가치를 결정하는 요소를 직주근접, 편리함, 인프라와 여가생활, 학군과 학원, 우월감, 가치 상승에 대한 기대감 등 6가지로 구분했습니다. 지금부터는 더욱 직관적으로 평가해볼 수 있도록 4가지 대분류로 단순화했습니다. 이때 기준은 위치, 편리, 관심, 우월감 등 4가지입니다. 다음 표를 참고해보세요.

대분류	소분류	상급	중급	하급
위치	인구	80만 명 초과	50~80만 명	50만 명 미만
	입지	해당 권역 내 도심지(업무 중심지)까지 거리로 상, 중, 하 (지역마다 편차가 크므로 상대 평가)		
편리	주거 형태	- 대단지 아파트 (1,000세대 이상) - 대단지 주상복합 (700세대 이상)	- 중단지 아파트 (301~1,000세대) - 중단지 주상복합 및 아파텔 (300~700세대)	- 300세대 미만 아파트 - 빌라, 오피스텔 및 기타
	교통 인프라	출퇴근의 편리성을 기준으로 하여 지하철과 버스 정류장, 고속도로 및 고속화도로, 도시철도 등 여러 가지를 종합하여 상, 중, 하로 평가(지역마다 편차가 크므로 상대 평가)		
	주거 인프라	대형 공원, 백화점, 복합 쇼핑몰, 아파트 밀집지(3,000세대 이상)를 갖추고 있는지를 기준으로 상, 중, 하로 평가(이름만 들어도 알 만한 공원 혹은 타지에서 찾아올 정도로 큰 쇼핑몰 유무)		
	상업 인프라	업무지역과 초대형 상권, 대형 전시장, 공연 경기장 유무		
관심	교육 환경	관심 지역의 학원가와 초·중학교 학군이 좋은 편인지 조사하여 상, 중, 하로 평가(지역마다 편차가 크므로 상대 평가)		
	개발 가능성	-신축급 아파트 -용적률 낮은 (150% 이하) 구축 아파트 -재개발 지구 내 빌라	- 용적률 보통 (150~200%) 구축 아파트 - 역세권 낡은 빌라촌	- 재건축 가능성 낮은 연식 아파트 - 재개발 가능성 낮은 빌라 - 오피스텔, 도시형 생활주택
우월감	소득 수준	권역 내에서 소득 수준이 높은 지역인지에 따라 상, 중, 하로 평가		
	랜드 마크 유무*	도보 10분 거리	차로 10분 내외	큰맘 먹고 가야 함

* 랜드마크: 어떤 지역을 대표하는 장소나 건물, 주위 경관 중에서 전국적으로 자랑할 만한 시설, 환경을 말한다. 거주 수요를 끌어들일 정도로 타 지역 사람들의 선망의 대상이 된다. 대형 호수 공원, 한강 공원, 대형 상업 인프라, 대형 학원가 등을 예로 들 수 있다.

운명을 바꾸는 부동산 투자 수업_ 실전편

이제 각각의 항목을 표의 기준에 따라 살펴보고 '상, 중, 하'로 평가해보면 됩니다. 예를 들어, 내가 사는 지역이 경기도 고양시 일산이라고 생각해봅시다. 고양시의 인구는 100만 명이 넘으므로 인구 항목에서는 '상'에 체크합니다. 다음으로 일산은 광화문 도심까지 접근하는 데 30분 이상 걸리므로 '중'에 체크합니다. 이런 식으로 하나하나 따져보는 것이죠. 이때 중요한 것은 현재만이 아니라 미래의 가치도 반영하여 따져봐야 한다는 점입니다. 지금은 쇼핑몰이나 백화점이 없어도 3년 내에 복합 쇼핑몰과 백화점이 들어올 예정이라면 상업 인프라를 '상'으로 평가할 수 있죠. 각 항목마다 그렇게 평가한 이유를 기록해두면 나중에 변동 사항이나 오류를 확인하는 데 도움이 됩니다.

자, 이제 여러분이 사는 집을 실제로 평가해볼 차례입니다. 나아가 내가 매수하고 싶은 집, 이름만 들어도 알 수 있을 만큼 유명한 아파트부터 차례로 가치 평가를 해보세요. 입지를 분석하는 안목이 길러질 것입니다.

9부

큰돈이 오가는 부동산 거래 과정을

막연히 두려워하는 분들이 많습니다.

그러나 막상 알고 보면 거래 과정 자체는 간단합니다.

집을 매수하는 과정을 미리 살펴보고

주의해야 할 사항을 꼼꼼히 짚어본다면

과정이 두려워 집을 매수하지 못하는 일은 없을 것입니다.

지금부터 첫 집 매수의 기술을 소개합니다.

첫 집 마련을 위한
매수의 기술

37

나의 첫 집,
실수 없이 매수하는
완벽 프로세스

전문 투자자가 아닌 이상 평생 집을 사고파는 경험은 많아야 서너 번에 불과합니다. 그래서인지 매매 과정 자체를 막연히 두려워하는 분도 있습니다. 워낙 고가인 부동산을 사고파는 일이니 부담스럽게 느껴지겠지만, 막상 알고 보면 매매 과정 자체는 간단합니다. 지금부터 집을 매매하는 과정 전체를 살펴보고 주의해야 할 점을 짚어보겠습니다.

알고 보면 간단한 주택 매수 7단계

어떤 물건을 구매할 때 생각보다 많은 과정을 거칩니다. 가격에 맞춰 몇 가지 후보를 추려낸 뒤, 인터넷에서 여러 물건을 비교해 가장 적합한 상품을 찾아냅니다. 누군가에게 추천해줄 상품은 없는지 물어보거나, 구매 평가를 찾아보기도 하죠. 사려는 물건이 고가라면 직접 매장을 방문해 눈으로 확인해보기도 합니다.

집을 사는 과정도 이와 크게 다르지 않습니다. 나의 구매 능력을 고려해 지역과 상품(아파트, 빌라, 오피스텔 등)을 정하고, 중개사에게 연락해 각각의 매물을 직접 살펴본 뒤, 가장 좋은 집을 매수하면 되죠. 물론 가장 중요한 건 계약서를 쓰기 전 어떤 물건을 살지 결정하는 과정입니다. 프로세스는 대략 다음과 같습니다.

① 중개사 검색, 전화

주택 구매 첫 단계는 중개사에게 전화하는 것입니다. 이때 한 지역에서 최소한 5명 이상의 중개사에게 연락해보는 것이 좋습니다. 여러 중개사에게 각각 2~3개씩 매물을 추천받아 살펴보기를 권합니다. 가능한 한 여러 집을 직접 보고 비교하는 것이 유리하기 때문입니다. 참고로 중개사 연락처는 인터넷에서 쉽게 알아볼 수 있습니다. 네이버부동산에서 관심 있는 지역을 설정한 후, 화면 오른쪽 세로 메뉴 바에서 '중개사'를 클릭하면 그 지역 중개사무소가 표시

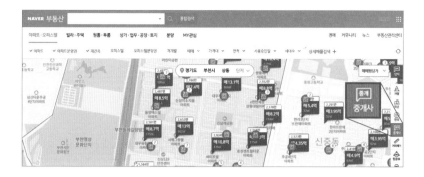

됩니다. 그 위에 마우스 커서를 올려놓으면 각 중개사무소의 이름
이 뜨고, 원하는 곳을 클릭하면 연락처와 주소 등이 표시됩니다. 그
중 몇 군데에 연락해보고 날짜와 시간을 정해 방문합니다.

② 사전 준비

중개사와 시간 약속을 정할 차례입니다. 임장을 할 때는 하루를
온전히 비우고 오전 10시, 오후 1시와 4시 정도로 적절한 간격을 두
고 서로 다른 중개사를 만나는 것이 좋습니다. 이때 하루에 한 지역
만 가보기를 권합니다. 오전에 서울 금천구에 갔다가 오후에 인천
에 가는 것이 아니라, 오늘은 금천구의 매물만 보고 다른 날 시간
을 내서 인천을 가봐야 한다는 말입니다. 그래야 해당 지역의 장단
점을 제대로 파악할 수 있습니다. 또한 임장을 가기 전에는 가능한
그 지역에 대해 많이 조사해보는 것이 좋습니다. 이 책 8부 34장을
참고하여 지역 호재를 찾아보고, '호갱노노' 같은 모바일 앱에서 해

당 아파트의 정보와 거주민의 평을 찾아보면 도움이 됩니다.

③ 현장 조사(임장)

임장 단계입니다. 임장을 가서 무엇을 확인해야 하는지에 대해서는 뒤에서 자세히 설명할 예정입니다. 중요한 점은, 매수 결정을 내리기 전에 서로 다른 날에 최소한 세 번은 임장을 가봐야 한다는 것입니다.

④ 매수 물건 확정

한 번 가보고 바로 결정하는 것도 안 좋지만 반대로 결정을 못하고 계속 임장만 다니는 것도 문제입니다. 그러는 사이에 좋은 매물을 놓쳐서는 안 되니, 어느 정도 물건을 본 뒤에는 최종 결단을 내려야 합니다.

⑤ 중개수수료 협상 및 가계약금 송금

많은 분들이 부동산 중개수수료는 이미 정해진 것으로 오해합니다. 하지만 수수료의 법정상한요율이 정해져 있을 뿐, 협의가 가능합니다. 매수할 물건을 확정하고 집주인에게 가계약금♥을 입금하기 전에 수수료를 확정 지어야 합니다. 생각보다 많은 분들이 중개수수료에서 분쟁을 겪습니다. 이미 계약이 체결되고 매수 과정이 진행 중인 상황에서 중개수수료에 대해 이견이 생기면 매수자 입장

운명을 바꾸는 부동산 투자 수업_실전편

에서도 곤란한 상황에 빠집니다. 따라서 가계약금을 보내기 전에 중개수수료를 명확히 물어보고, 그에 대한 내용을 문자나 통화 녹음으로 확보해두어야 추후 분쟁 발생을 막을 수 있습니다.

📍 **가계약금**
매수인이 정식 계약서를 작성하기 이전에 매도인이 물건을 다른 사람에게 팔지 못하도록 미리 계약금 일부를 보내는 것.

────────

📍 **중개수수료**
다음 QR 코드를 스캔하면 한국공인중개사협회가 정한 중개보수요율을 살펴볼 수 있다.

또 하나 기억해야 할 점은 가계약금 입금도 계약 성립으로 볼 수 있다는 점입니다. 많은 분들이 가계약금은 '예약금' 정도로 생각해서 언제든지 환불받을 수 있고 이후에도 충분히 협의 가능하다고 생각하지만, 그렇지 않은 경우가 훨씬 많습니다. 따라서 가계약금을 보내기 전에 기본적인 사항(매매 일자, 계약금 입금일, 수리 범위, 기본적인 특약 사항)을 중개사를 통해 매도자와 합의한 뒤 가계약금을 보내야 합니다. 가계약금을 보낸 후 사소한 사항은 일부 조정할 수 있지만, 계약 전체를 틀어버릴 내용을 요구하면 문제가 될 수 있습니다. 심지어 금액 자체가 큰 경우에는 소송으로 갈 수도 있으니 주의해야 합니다.

⑥ 계약서 작성 및 계약금 송금

집주인과 만나서 계약서를 작성하는 단계입니다. 가계약금을 보낼 때 합의된 사항을 정식 계약서로 남긴다고 생각하면 됩니다. 사전에 협의된 내용이 계약서와 특약 사항에 명기되어 있는지 꼼꼼하게 확인하고, 추가로 요청할 사항이 있다면 매도자와 협의할 수 있습니다. 그런데 이 단계에서 본격적인 협상을 해보겠다고 생각하는 것은 옳지 않습니다. 아직 계약서를 쓰지 않았다고 해서 양측 모두 자기의 요구 사항을 자유롭게 추가할 수 있는 것은 아닙니다. 잘못하면 계약 자체가 파기되고 서로 소송을 하게 될 수도 있으니 주의해야 합니다.

계약서를 작성하게 되면 가계약금을 제외한 계약금(보통 전체 금액의 10%)을 매도자 계좌로 송금합니다. 계약금은 계약을 계획대로 진행하겠다는 매수인과 매도인의 약속입니다. 만약 매수인이 중도에 계약을 해지하면 지급한 계약금을 모두 포기해야 합니다. 반대로 매도인이 계약을 파기할 경우에는 배액의 계약금을 매수인에게 배상해야 합니다. 예를 들어 계약금이 5천만 원인 매매계약에서 집주인인 매도인이 계약을 파기하고 싶다면, 매도인은 5천만 원의 2배인 1억 원을 매수인에게 돌려줘야 합니다. 만약 매수인이 계약을 파기하고 싶으면, 매도인에게 준 5천만 원을 포기해야 계약을 파기할 수 있습니다.

⑦ 중도금, 잔금 납부

매수인과 매도인의 협의에 따라 계약금과 잔금 사이에 중도금을 치를 수 있습니다. 중도금을 치르는 것은 소유권 이전에 대한 확실한 약속과 같다고 생각하면 됩니다. 따라서 중도금을 계약서

운명을 바꾸는 부동산 투자 수업_ 실전편

에 명시하고 실제 입금까지 했다면 이후로는 계약 파기가 불가능하고, 무조건 소유권을 이전해야 합니다. 만약 혹시 모를 계약 파기가 걱정된다면 중도금을 계약서에 명시하는 편이 좋습니다.

잔금일에는 매매가격에서 계약금과 중도금을 뺀 나머지 금액을 입금합니다. 계약서를 작성하고 잔금을 치르는 일은 2~3달 안에 이루어지는 것이 보통이지만, 정확한 잔금일은 매수인과 매도인이 협의하여 결정합니다. 때로는 계약일부터 잔금일까지 6개월 이상의 시간이 벌어지기도 합니다.

집을 매수하기까지의 전체 과정을 알아보았는데, 무엇보다도 부동산 계약을 즉흥적으로 결정해서는 안 된다는 점을 명심하세요. 계약은 협상의 연속입니다. 내 마음이 급하다는 사실을 상대가 알게 된다면 손해를 볼 수 있으니 급하게 진행하지 말고 두 번 세 번 고민하고 진행해야 합니다.

38

빈틈없는
부동산 임장의 기술
(1)동네 임장

임장이 중요하다는 말을 많이 들어봤을 겁니다. 임장이란 쉽게 말해 투자할 동네와 집을 현장에 가서 확인해보는 일입니다. 직접 발품을 파는 동네 임장을 통해 무엇을 알아볼 수 있을까요?

임장, 인터넷으로 알 수 없는 것들을 확인할 기회

요즘은 많은 정보를 인터넷 검색과 지도 로드뷰를 통해 미리 확인할 수 있지만, 현장에 가야 알 수 있는 부분도 존재합니다. 임장

운명을 바꾸는 부동산 투자 수업_실전편

을 할 때는 다음 요소를 꼭 확인해보시기 바랍니다.

① 사람

인터넷 검색으로는 그곳의 '사람'을 만날 수 없습니다. 임장을 통해 동네를 잘 아는 사람을 만나 이야기하다 보면 '고급 정보'를 얻을 수 있죠. 그럼 누구에게 어떤 질문을 던져야 할까요? 먼저 지역 상인을 인터뷰하는 방법이 있습니다. 식당이라면 밥을 다 먹고 계산하면서 "저 이쪽으로 이사 올까 고민 중인데, 최근에 이 동네 거주자들이 어떤 분들로 바뀌고 있나요?" 등의 질문을 던지면 됩니다. 가게 매상을 올려주며 질문하면 아무래도 답변을 끌어내기가 수월합니다.

그 지역 공인중개사에게 물어보는 방법도 있습니다. 이때 두루 뭉술하게 묻기보다는 최대한 구체적인 정보를 묻는 편이 좋습니다. "여기 살기 좋은가요?" 같은 질문보다는 "여기 현대백화점이 들어선다는 말이 있는데, 진짜인가요?"와 같은 매우 구체적인 질문이 좋습니다. 지역 정보를 꿰차고 있는 중개사는 비교적 정확한 답을 줄 가능성이 높습니다. 또한 인터넷에 올라오지 않은 최신 정보를 아는 중개사도 있죠.

동네 거주민이나 아파트 경비원, 건물 관리인을 인터뷰하는 방법도 있습니다. 이 동네로 이사 올 예정이라고 밝히고 공손하게 물어보면 됩니다. 인터뷰를 통해 어느 단지가 아이들 학교 다니기에

편한지, 어느 단지 앞의 외부 소음이 심한지 등 직접 살아본 사람들만 알 수 있는 정보를 얻을 수 있습니다.

② 경사

인터넷 지도 로드뷰만으로는 경사 여부를 알기 힘듭니다. 임장을 통해 관심 있는 매물 인근에 경사 진 길이 있는지, 있다면 경사가 어느 정도인지를 확인할 수 있습니다. 관심 매물에서 지하철역까지 가는 길, 마트를 비롯해 자주 다니게 될 시설까지 가는 길, 학교 가는 길을 걸어보면 생각보다 시간이 더 걸리는 경우도 있습니다. 이런 사항들은 현장에 가야만 알 수 있는 것들입니다.

③ 주변 환경

직접 그 지역에 갔을 때 알 수 있는 동네의 느낌이나 분위기가 있습니다. 매우 주관적인 영역이기에 임장을 통해서만 확인할 수 있죠. 또한 동네에 어떤 상가들이 있는지 자세히 확인해볼 수도 있습니다. 지도 로드뷰가 실시간 업데이트되지는 않기 때문에 임장을 통해서 살펴보면 좋습니다. 내가 해당 지역의 거주자라고 상상하면서 주변을 둘러보는 것입니다. 마트나 편의점, 학원 등 주거에 필요한 업종의 동선이 효율적으로 배치되어 있는지 확인합니다.

실패 없는 임장을 하는 3가지 노하우

바쁜 직장인이 임장을 위해 하루를 온전히 비우기란 쉽지 않습니다. 어렵게 낸 시간인 만큼 최대한 효율적으로 활용해야겠죠. 소중한 시간을 제대로 활용할 수 있는 몇 가지 노하우를 알려드리겠습니다.

① 사전에 자료 조사를 충분히 한다

아는 만큼 보이는 법입니다. 사전 조사가 부족하면 무엇을 봐야 할지도 알 수 없죠. 미리 손품을 들여 정보를 최대한 알아두면 시간과 체력을 모두 절약할 수 있습니다. 로드뷰로 동네를 익혀두고, 기본적인 정보는 블로그나 동네 인터넷 커뮤니티 등을 통해 머릿속에 입력하고 가야 합니다.

② 가족이 함께 임장을 간다

실거주할 집이라면 동네나 해당 매물에 대한 가족의 의견을 들어보는 것이 좋겠죠. 가족 단위로 임장을 가면 구성원의 다양한 의견을 들을 수 있습니다. 내가 빠뜨리는 부분을 누군가 체크해줄 수도 있지요. 또한 가족이 함께 임장을 가면, 중개사를 만날 때 더 많은 정보를 얻을 가능성이 높습니다. 가족 단위의 고객은 실수요자라는 생각에 중개사가 더 많은 정보와 매물을 보여주는 경우가 많습니다.

③ 대중교통을 이용한다

임장할 때는 대중교통을 이용해봐도 좋습니다. 해당 지역의 대중교통이 편리한지 미리 체험해볼 수 있는 기회이기 때문입니다. 지하철도 역사마다 깊이가 달라 실제로 지하철을 타는 데 생각보다 시간이 오래 걸리기도 합니다. 그럴 때는 오히려 버스 이용이 더 편리할 수도 있죠. 지하철의 매력이 떨어진다는 의미입니다. 이런 것들은 현장에 가봐야 알 수 있습니다. 또한 길의 경사나 동네 분위기, 주변 환경 등은 천천히 걸어 다니면서 보고 느껴야 확실합니다. 주차할 곳을 찾을 필요도 없으니 효율적으로 시간을 활용할 수 있습니다.

39

빈틈없는
부동산 임장의 기술
(2) 매물 임장

　　동네를 구석구석 돌아보며 필요한 정보를 얻었다면, 이제 내가 구입할 집을 직접 눈으로 확인할 차례입니다. 집은 인생에서 가장 비싼 쇼핑입니다. 당연히 직접 찾아가서 확인하고 여러 매물을 비교해봐야 하죠. 그런데 의외로 많은 사람이 매물을 보러 가서 어떤 점을 체크해야 하는지 알지 못합니다. 이번에는 매물을 직접 봐야만 알 수 있는 요소들에는 무엇이 있으며, 어떻게 확인해야 하는지 알려드리겠습니다.

매물 볼 때 반드시 확인해야 하는 6가지 요소

매물 임장을 하러 갈 때 초보 투자자들이 흔히 하는 실수가 내부 인테리어에 감정적으로 휘둘린다는 것입니다. 집을 살 때는 지금의 인테리어를 가지고 판단하면 절대 안 됩니다. 아무래도 낡은 집은 실제 가치보다 더 나빠 보이고, 인테리어를 잘 해놓은 집은 더 좋다고 느껴집니다. 하지만 집을 매수하면 내 취향대로 인테리어를 할 수 있으니, 현재 인테리어는 집의 가치를 판단할 때 고려하지 않는 편이 좋습니다.

그럼 대체 집을 보러 가서 무엇을 확인해야 할까요? 현장에서 꼭 살펴야 할 6가지 요소가 있습니다.

① 조망

'조망권'이라는 말이 있을 정도로 조망은 매우 중요하며, 인테리어처럼 쉽게 바꿀 수 있는 요소가 아닙니다. 같은 아파트 단지 안에서도 동과 층에 따라 창밖 풍경이 다르므로, 임장을 가서는 창밖으로 보이는 풍경을 꼭 확인합니다. 발코니와 각 방의 창문까지 꼼꼼히 확인하세요. 이때 집주인이나 기존 세입자에게 미리 양해를 구하고 사진을 찍어두는 것도 좋습니다. 시간이 지나면 기억은 흐려지게 마련이고, 여러 곳을 돌아다니다 보면 헷갈리기 때문이죠.

② 소음

매물 임장을 가서는 꼭 해당 주택 주위에 소음이 발생하는지 확인해야 합니다. 방문할 당시에는 조용하지만 소음을 유발할 요소가 숨어 있는 경우도 있습니다. 예를 들어, 바로 앞에 놀이터가 있다면 평일 오후나 주말에는 꽤 시끄러울 확률이 높습니다. 또한 큰 도로와 접해 있으면 밤에 차로 인한 소음이 더욱 크게 느껴질 것입니다. 그 밖에 주위 시설이나 건물들도 살펴보세요. 바로 건너편에 자동차 정비소나 태권도 도장 등이 있다면 평소 소음이 심할 수 있다는 사실을 염두에 둬야 합니다.

③ 냄새

소음만큼 쉽게 간과하는 요소가 바로 냄새입니다. 집 자체가 오래돼서 곰팡이 냄새가 나지 않는지, 하수구 냄새가 올라오지 않는지 확인해보세요. 간혹 쓰레기 분리수거장이 집 아래에 위치해 있어서 냄새가 나는 경우도 있습니다. 이런 요소를 제대로 확인하지 않으면 살아가는 데 큰 불편함이 따릅니다.

④ 빛

누구나 빛, 즉 채광이 좋은 집을 선호합니다. 그런데 이를 확인하지 않고 매수를 결정하는 분들도 많습니다. 기본적으로 남향은 하루 종일 햇빛이 들어옵니다. 동향은 햇빛이 오전에 잠시 들어왔다가 오후부터는 들어오지 않고, 서향은 반대로 오후에만 볕이 들죠. 북향은 하루 종일 햇빛이 들어오지 않으니 채광에 있어서는 가장 좋지 않습니다. 네이버부동산 등에서 미리 검색하거나 중개사에게 물어보면 집의 방향을 알 수 있습니다. 또한 주위에 햇빛을 가리는 건물이 없는지도 직접 확인해보세요. 조망이 유달리 뛰어나지 않는 한 일반적으로는 남향집이 동향이나 서향집에 비해서 조금 더 가격을 높게 받을 수 있습니다.

⑤ 물

집에 하자가 생기는 원인은 대부분 물 때문입니다. 크게 습기, 누수, 수압, 곰팡이 등이 문제가 되죠. 먼저 천장에 물이 샌 얼룩이 있는지 확인해봐야 합니다. 얼룩이 남아 있다면 윗집에서 물이 샜을 가능성이 있기 때문입니다. 다음으로 싱크대를 열고 내부를 확인해보세요. 세탁실과 보일러실은 습하거나 환기가 덜 되는 곳이기 때문에 곰팡이가 있는지 살펴봐야 합니다. 또한 방마다 다니면서 구석을 확인하고, 가구 뒤편을 직접 보거나 손을 넣어보는 것이 좋습니다. 습기가 느껴지거나 축축하다면 좀 더 꼼꼼히 살펴야 하죠. 만약 곰팡이가 보인다면 가구를 치웠을 때 더욱 심각할 가능성이 큽니다. 특히 구조적인 문제로 곰팡이가 생긴 것이라면 벽지를 새로 해도 다시 생겨날 수 있습니다.

⑥ 구조

집의 구조가 좋고 나쁨을 어떻게 평가할까요? 가장 간단한 방법은 지금 사는 집에 있는 가구들의 크기를 대략적으로 메모해놓고, 임장을 가서 공간에 내 가구를 배치해보는 상상을 하는 것입니다. 소파는 어떻게 놓고 식탁은 어디에 넣어야 하는지 머릿속으로 계속해서 질문해보는 거죠. 그러면 같은 평형이어도 어떤 아파트는 거실에 식탁과 소파까지 넣을 수 있고, 어떤 아파트는 둘 다 놓기가 애매하다는 사실을 알게 됩니다. 방의 가로세로 비율에 따라서도 공간 활용도가 달라집니다. 어떤 집의 작은방에는 침대만 겨우 놓을 수 있는데, 또 다른 집에서는 침대와 자녀 책상까지 충분히 넣을 수 있습니다. 한마디로 '구조가 좋다'는 표현은 가구를 넣을 공간이 잘 나오는 비율로 공간이 구성되었다는 의미입니다. 요즘은 가전제품도 점점 커지는 추세입니다. 빨래건조기도 많이 쓰죠. 이런 가전들이 들어갈 공간을 상상해보면 집을 고를 때 도움이 많이 됩니다.

임장 실수를 막아주는 5가지 마음가짐

치열한 비교와 고민 끝에 집을 매수하는 만큼 그 마음가짐도 중요합니다. 정리하면 다음과 같습니다.

① 적어도 세 번은 방문하라

집을 딱 한 번 방문하고 바로 매수를 결정하는 사람들이 있습니다. 특히 '마음에 드는데 지금 안 샀다가 다른 사람한테 팔리면 어쩌나' 하는 걱정에 덜컥 매수하는 경우가 많습니다. 옆에서 부채질이라도 하면 더 쉽게 흔들리곤 하죠. 여기서 중요한 건 불안한 마음에 급하게 결정할수록 실수할 확률이 높다는 점입니다.

저는 해당 지역에 최소한 세 번은 방문해볼 것을 권합니다. 하루에 세 번 방문하라는 것이 아니라, 서로 다른 날에 여러 번 방문해보는 게 중요합니다. 첫 방문 때는 현장의 분위기나 조급함 때문에 놓친 것들이 있을지도 모릅니다. 조금 시간이 지나면 객관화가 되기 때문에, 다음 번 방문할 때는 다른 단점이나 장점이 보일 수도 있지요.

② 오전 10시~오후 2시에 방문하는 것이 유리하다

집을 보는 데 오전 10시부터 오후 2시 사이가 유리한 이유는, 이 시간대에 세입자와 중개사 모두 상대적으로 한가할 가능성이 크기 때문이죠. 한가할 때 가야 집을 여유 있게 살필 수 있고, 집에 대한 정보를 한마디라도 더 들을 수 있습니다. 보통 이 시간은 아이를 어린이집이나 학교에 보낸 뒤 식사까지 마치고 약간의 여유가 생겼을 때입니다. 또한, 해당 물건을 중개하는 중개사 역시 이 시간대에는 비교적 방문객이 적어 매물을 더 꼼꼼히 보여주고 설명도 자세히 해줄 수 있습니다.

③ 최소한 5명 이상의 공인중개사를 만나라

중개사 한 분이 추천하는 물건 몇 개를 보고 매수를 결정하는 분들이 있습니다. 그런데 저는 최소한 중개사를 5명 이상 만날 것을 추천합니다. 한 명의 중개사가 그 인근의 모든 물건을 맡지는 않습니다. 여러 명의 중개사를 만나보면 비슷한 조건의 더 많은 매물을 볼 수 있습니다. 또한 더욱 다양한 이야기를 들을 수도 있습니다. A중개사가 아는 정보를 B중개사는 모를 때도 있으니까요.

④ 시간을 들여 내부를 충분히 살핀다

집을 보러 갈 때, 최대한 빨리 보고 도망치듯 나오게 되지 않던가요? 남의 집에 폐를 끼친다는 미안함에서 나오는 자연스러운 행동이지만, 굳이 그럴 필요는 없습니다. 생각해보면 이미 '집을 보여주는 것'에 상대도 동의한 상태이니 십여 분 정도 둘러본다고 해서 그리 미안한 일이 아닙니다. 자동차를 사러 가서도 오랜 시간 시승을 해보는데, 몇십 배 비싼 집을 순식간에 보고 나온다는 것은 옳지 않습니다. 사전에 무엇을 볼지 명확하게 계획을 세우고, 임장을 가서는 해당 부분을 꼭 확인하고 나와야 합니다.

⑤ 사진과 메모를 남겨라

인간의 기억에는 한계가 있어 자신의 기억력을 너무 믿어서는 안 됩니다. 특히 여러 집을 보다 보면 서로 정보가 뒤섞여 기억이 뒤죽박죽이 되기도 합니다. 그러니 가능한 한 보고 느낀 점들을 메모지에 자세히 기록한 뒤, 집에 돌아와 정리합니다. 특히 앞서 말한 임장 시 확인해야 하는 6가지 요소에 대해 항목별로 느낀 점과 내용을 메모하세요. 창문 바깥으로 무엇이 보이고, 채광이 어떤지 모두 적어야 합니다. 구조에 대한 부분도 꼼꼼하게 기록합니다. 가능하면 사진을 찍어두는 것이 기억을 떠올리는 데 도움이 됩니다.

그저 눈으로 훑어보기 위해서가 아니라 실질적인 정보를 얻기 위해 임장을 가는 것입니다. 집에 돌아오면 내가 얻은 정보를 하나의 보고서 형식으로 정리해둡니다. 단순히 동네 구경을 하고 오면 안 됩니다. 우리는 지금 전 재산이 들어갈 물건을 사는 중입니다. 사소한 것 하나도 절대 소홀히 해서는 안 됩니다.

40

공인중개사를
찾아가기 전,
이것만은 알아두자

"부동산 투자, 너무 어려워요. 특히 공인중개사와 대화하기가 힘듭니다. 좋은 중개사는 어디서 어떻게 찾아야 할까요?"

이렇게 질문하는 분들에게 저는 '좋은 중개사'를 찾아 헤매지 말라고 합니다. 이는 사람의 좋고 나쁨을 이야기하는 게 아닙니다. 보통 내가 원하는 최적의 물건을 최대한 싼 가격에 찾아주고, 계약 이후 생길 수 있는 법적인 리스크까지 책임져주는 사람을 '좋은 중개사'라고 생각하는데, 그런 이상적인 중개사는 없다는 뜻입니다. 그러면 어떻게 해야 할까요? 우리는 거래 상대로서 좋은 중개사를 찾아야 합니다. 이번에는 그런 중개사를 찾아내는 방법과 그들을 만

나서 협상하는 방법을 알아볼 차례입니다.

중개사를 만나기 전에 알아야 할 것들

우리가 잊지 말아야 할 것이 있습니다. 공인중개사는 개인 사업자이고 사업을 통해 수익을 남겨야 한다는 사실입니다. 중개사가 자신의 수익을 최대한 높이는 방식으로 영업을 하는 것은 어찌 보면 당연합니다. 그러나 우리도 우리에게 최대한 유리하게 거래를 이끌어가야겠죠. 아래 협상의 기술을 적극적으로 참고하시길 바랍니다.

① 여러 중개사를 만나라

이는 여러 번 강조해도 지나치지 않습니다. 같은 지역의 중개사라 해도 모두 같은 매물을 가지고 있지는 않습니다. 또한, 중개사들 각자의 성격과 성향이 모두 다릅니다. 최소 5명 이상의 중개사에게 물건을 확보해야 그 지역의 객관적인 상황을 알 수가 있습니다. 그리고 여러 중개사와 대화하는 과정에서 좀 더 다양한 정보를 들을 수도 있습니다.

② 내가 원하는 물건을 최대한 명확하게 밝혀라

아파트를 매수할 때는 보통 내가 원하는 단지와 지역을 명확하게 정한 후 중개사에 전화할 때가 많지만, 빌라나 오피스텔을 구하거나 어떤 아파트든 상관없을 때는 물건을 추천받기도 합니다. 이런 방식으로 중개사로부터 내가 원하는 물건을 소개받으려면, 무엇보다 나의 조건을 명확하게 전달하는 것이 중요합니다. 최소한 다음의 조건은 중개사에게 명확히 이야기해야 합니다.

- **원하는 주택 가격과 나의 투자금**: "3억에서 4억이요"와 같이 범위를 너무 넓게 잡지 말고, "3억 4천만 원이요"와 같이 구체적으로 이야기해야 합니다. 내가 가진 투자금이 얼마이고, 얼마까지 대출을 받을 수 있는지 미리 말해놓아도 좋습니다.
- **실거주/투자 여부**: 당장 실거주할 집을 구하는지 아니면 집을 매수하여 전세를 줄 것인지 확실히 말하는 편이 좋습니다.
- **원하는 지역과 주택 종류**: "서울 어디든 좋아요. 아파트든 빌라든 상관없고요"와 같이 뭉뚱그려 말하는 방식은 좋지 않습니다. 이런 말은 "나도 모르는 내 마음을 알아서 맞혀주세요"와 크게 다를 바가 없죠. 그러니 내가 원하는 지역과 주택 종류를 명확히 이야기해야 합니다.
- **면적과 연식, 용적률**: 구하는 집의 평수와 연식을 구체적으로 전달하면 원하는 매물을 찾을 가능성이 커집니다. "30년 이상 된 구축 20평대 아파트 중 용적률이 낮아서 개발 가치가 높은 상품을 찾고 있습니다"와 같이 구체적인 목적과

요구 사항을 밝힙니다.

· **방 개수와 층수 및 방향:** 구체적인 방 개수, 층수, 방향(남향, 서향 등) 등에 따라 볼 수 있는 매물의 수가 달라집니다.

③ 방문 전날 미리 통화하라

중개사와 미리 문자로 약속을 잡았다고 해도, 중개사무소에 방문하기 전날에 전화 통화를 해보는 것이 좋습니다. 약속한 날짜에 매물 몇 개를 보는지, 추천받은 물건이 아직 남아 있는지, 그사이에 또 다른 좋은 매물이 나왔는지 등을 확인해봅니다. 생각보다 매물이 금세 거래되는 경우도 많고, 주인의 변심 등으로 보려던 물건이 취소되는 경우도 있습니다. 헛걸음하고 싶지 않다면 방문 전날 확인해보는 편이 좋습니다.

중개사와의 심리전에서 밀리지 마라

앞서 강조했듯이 중개사는 어디까지나 개인 사업자이고, 거래를 성사시키는 일에 주력할 수밖에 없습니다. 매수자인 우리는 중개사에게 휘둘리지 않으면서 원하는 매물을 보는 것이 목적입니다. 따라서 무작정 중개사를 믿어서는 곤란합니다. 매물을 보는 과정에서 중개사가 다음과 같은 말을 할 때 대처법도 미리 생각하고 방문합니다.

① "그런 물건 많으니까 일단 와서 말씀하시죠."

중개사가 방문해서 이야기를 하자고 하더라도, 정확하게 내가 원하는 조건의 물건을 가지고 있는지 확인해야 합니다. 주택 종류, 연식, 평수 등에서 내가 원하는 조건과 맞아떨어지는 매물을 볼 수 있는지 물어보아야 하죠. 그렇지 않으면 무턱대고 찾아갔다가 막상 내가 원하는 조건의 매물이 없어서 헛걸음할 수 있습니다.

② "일단 출발하시죠. 가면서 설명해드릴게요."

매수자가 찾는 적당한 물건이 없을 때, 종종 중개사로부터 이런 말을 듣게 됩니다. 중개사무소에 가면 곧바로 매물을 보러 가지 말고, 자리에 앉아서 중개사에게 궁금한 점을 미리 질문하세요. 오늘 어디에 있는 어떤 매물을 보러 가는지, 조건과 가격은 어떻게 되는지 그리고 그것이 내가 원하는 물건이 맞는지 확인부터 합니다. 만약 내가 원하는 집과 동떨어진 조건의 매물밖에 없다면 다른 중개사무소를 찾아갑니다.

③ "이거 어쩌죠? 한 시간 전에 팔렸다는데…."

통화할 때까지만 해도 딱 맞는 매물이 있다고 해서 막상 방문했더니 이렇게 말할 때가 종종 있습니다. 실제 그사이에 거래가 되는 경우도 있지만, 그런 물건이 없는데도 일단 방문하게 만드는 경우도 간혹 있습니다. 이런 일을 피하기 위해서는 같은 날 한곳이 아닌 여러 곳의 중개사무소와 미리 약속을 잡아놔야 합니다. 그래야 임장을 위해 힘들게 낸 시간을 낭비하지 않을 수 있습니다.

부동산 거래를 할 때 투자의 책임은 모두 자기 자신에게 있습니다. 그러니 우리는 매물에 대한 허위 정보를 주지 않고, 매물에 대한 객관적이고 정확한 정보를 제공하며, 소통이 원활하고 적극적인 중개사를 찾으려고 노력해야 합니다. 중개사무소에 가기 전에 미리 문자나 전화로 최대한 많은 정보를 얻고 검증하는 과정이 중요한 이유도 여기에 있습니다. 결국 부동산 매매는 사람이 하는 일이고, 남이 아닌 나 스스로 실력과 판단력을 가져야만 실수하지 않을 수 있습니다.

41 '부동산 사기'를 피하는 간단하고 확실한 방법

　대부분의 사람들은 부자가 되려면 많이 벌어야 한다고만 생각하는데, 버는 것 못지않게 중요한 것이 있습니다. 바로 지킬 줄 알아야 한다는 것입니다. 특히 부동산 사기를 당해서 손해를 보는 일은 절대 없어야겠죠. 이번에는 부동산 투자에서 자주 보이는 사기 유형과 대처법을 짚어보겠습니다.

욕심과 무지가 피해자를 만든다

보통 사기는, 돈은 있는데 아는 것이 없어 속이기 쉬운 사람을 대상으로 삼습니다. 돈 벌고 싶은 욕망은 큰데 공부하기는 귀찮아서 타인에게 의지하는 사람은 위험에 빠지기 쉽죠. 욕심 때문에 객관성을 잃고, 지식이 부족해 사기를 간파해내지 못하기 때문입니다. 그래서 투자를 하려면 치열하게 공부해야 합니다. 더불어 미리 부동산 사기 유형을 파악해두면 큰 도움이 됩니다. 아래는 다양한 부동산 사기 유형입니다.

① 낮은 가치의 물건을 비싸게 팔기

부동산은 보는 관점에 따라 단점을 장점으로 포장하여 말하는 것이 가능합니다. '외지에 교통이 좋지 않은 동네'를 '조용하고 외부인의 접근이 없는 동네'라고 표현할 수도 있고, 산 중턱에 위치해 벌레가 많고 겨울에 다니기 불편한 동네도 '숲세권'이라며 살기 좋다고 말할 수도 있습니다. 사실 이런 유형은 사기라고 볼 수는 없습니다. 가치가 낮은 것을 가치가 높은 것처럼 포장하는 일은 영업 수완으로 볼 수도 있죠. 하지만 내가 그런 것을 분별할 능력이 없다면 남들이 싫어하는 물건을 좋은 물건이라 착각하고 매수할 수도 있습니다.

운명을 바꾸는 부동산 투자 수업_실전편

② 신축 물건 가격 부풀리기

1권 기초편부터 일관되게 강조한 사항이 있습니다. 빌라, 오피스텔, 상가의 신축 분양은 신중히 접근하라는 것입니다. 투자 경험이 적은 사람의 경우, 분양업자와 중개인이 손잡고 가격을 부풀려도 그 물건이 실제 가치보다 비싸다는 사실을 알기 어렵기 때문입니다. "빌라나 오피스텔을 사면 절대 안 된다"는 말이 시중에 떠도는 것도 신축 분양가로 비싼 값에 주고 매수한 뒤 물건 가격이 내려가 피해를 본 분들이 많기에 나온 이야기입니다. 본래 가치보다 비싸게 산 물건은 시간이 지나면서 제 가치로 내려오게 마련입니다.

③ 전세에도 사기가 있다

전세는 계약이 끝날 때 보증금을 전부 돌려받는다고 생각하기 때문에 대부분 사람들이 큰 고민 없이 계약하는 경향이 있습니다. 그래서 경험 없는 사람들을 노린 전세 사기도 종종 일어납니다. 먼저 신축 빌라의 전세가를 일부러 높여 받는 유형의 사기가 있습니다. 한 신축 빌라 전세가 1억 7천만 원 정도인데 2억 원으로 전세를 맞췄다고 가정해봅시다. 매매가 대비 전세를 높게 잡으면 분양업자 입장에서는 투자금 자체가 적어지기 때문에 이득입니다. 그런데 전세입자 입장에서는 어떨까요? 2년 뒤 계약 만기가 되었을 때, 시세보다 비싸게 전세 계약을 한 상태라면 새로운 전세입자를 구하기가 어려울 수도 있습니다. 집주인에게 전세 보증금을 돌려달라고 해도 새로운 세입자를 구해야 돌려줄 수 있다는 말만 들을 수도 있습니다.

심지어 어떤 경우에는 해당 빌라가 경매로 넘어가기도 합니다. 그러면 그 집을 다른 누군가가 낙찰을 받아야 하는데, 전세입자의 보증금이 너무 높게 설정되어 있으면 하염없이 유찰될 때가 있습니다. 이때 전세입자가 눈물을 머금고 해당 물건을 낙찰받기도 합니다. 그저 전세를 살고자 했는데 어느 순간 빌라 낙찰자가 된 것입니다. 물론 이런 상황을 방지하는 '전세보증보험' 제도가 운영되고는 있지만, 모두가 가입할 수 있는 것은 아닙니다.

결국 내가 잘 알지 못하면 누군가에게 이용당할 수 있다는 사실을 기억해야 합니다.

④ 문서 위조

간혹 '몇백 채 집주인 잠적' 혹은 '수십 채 전세 사기를 친 중개사 잠적'과 같은 기사가 나오곤 합니다. 아파트보다는 빌라나 소형 오피스텔에서 많이 일어나는데, 아무래도 부동산 관련 경험과 지식이 적은 사회 초년생이나 대학생들이 이런 유형의 사기를 많이 당하기 때문입니다.

모든 중개사가 그럴 리는 없지만, 소수의 중개사가 작정하고 문서를 위조하거나 집주인을 속여서 돈을 가로채기도 합니다. 소형 오피스텔이나 빌라 같은 경우는 집주인들이 해당 물건의 인근 중개사에게 계약을 전부 위임할 때가 많은데, 이런 물건에서 종종 사고가 발생합니다. 흔한 사기 수법 중 하나로는 중개 대리인이 전세로 계약을 진행한 뒤에 집주인에게는 월세로 계약했다고 거짓말을 하는 방식이 있습니다. 예를 들어 실제로는 세입자와 9천만 원에 전세 계약을 하고, 집주인에게는 보증금 500만 원/월세 50만 원의 월세 계약을 했다고 속이는 식이죠. 몇 달간 월세가 잘 입금되면 집주인 입장에서는 사기를 당했다는 사실을 알아차리기 힘듭니다. 사실 그 월세는 자신도 모르는 사이 계약됐던 전세금에서 나온 돈이죠. 실제 창원에서는 한 중개사가 이런 식으로 150여 채 오피스텔 전세금을 가지고 잠적한 일이 있었습니다. 이런 일을 겪는다면 어떻게 될까요? 잘 살던 집이 어느 순간 경매로 넘어가고 전세입자는 내 보증금을 찾기 위한 소송도 해야 할 겁니다. 임대인도 본인의 피해 사실과 무죄를 증명하기 위해 기나긴 소송을 해야 하지요.

사기를 피하는 간단하지만 확실한 방법

'돌다리도 두들겨보고 건너라'는 오래된 속담은 부동산 투자에서도 통합니다. 투자 공부를 철저히 하고, 다음의 원칙을 지켜 사기를 피하고 돈을 잃지 않기를 바랍니다.

① 소유자의 신분을 정확히 확인하라

부동산 거래를 할 때 계약 당사자는 임차인과 임대인, 매수자와 매도자입니다. 따라서 매수인과 매도인이 직접 만나 신분증을 확인하고 계약서에 서명을 하는 편이 가장 좋겠죠.

그러나 부득이한 사정으로 당사자가 계약서를 작성하지 못할 경우 위임장을 근거로 중개사나 제3자가 대리 서명하기도 합니다. 이때는 반드시 신분증 사본과 함께 인감증명서가 첨부된 위임장을 확인하고 거래해야 합니다. 인감증명서란 주민센터에서 관리하는 일종의 '인증도장'인데, 이 도장이 찍혀 있다면 당사자가 계약한 것과 마찬가지의 법적 효력이 있습니다. 예를 들어, 인감증명서에 찍힌 도장과 똑같이 생긴 도장이 찍힌 위임장이 있고, 해당 위임장에 '○월 ○일부터 2년간 전세 ○천만 원으로 계약하는 데 동의하고, 해당 계약 날인을 ○○중개사 홍길동에게 위임한다'라는 내용이 쓰여 있다면 그것을 믿을 수 있다는 의미입니다.

이때 인감증명서의 주민등록번호와 등기부등본의 소유자 주민번호가 같은지 꼭 확인해야 합니다. 또한, 정부24(gov.kr) 사이트에서 '인감증명발급 사실 확인(정부24-서비스→사실/진위 확인-인감증명발급 사실 확인)' 탭을 클릭하여 인감증명서의 정보를 입력해보면 위조문서 여부를 확인할 수 있습니다.

② 법적 분쟁이 있는 물건을 피하라

부동산을 매수할 때는 등기부등본과 건축물대장을 무조건 확인해야 합니다. 등기부등본은 해당 건물의 '이력서'라 할 수 있습니다. 국가기관인 등기소에서 발급하고 관리하므로 위조나 변조의 가능성이 거의 없죠. 등기부등본은 중개사에게 요청하여 받거나 대법원 인터넷등기소에서 직접 찾아볼 수 있습니다. 등기부등본을 보는 방법에 대해서는 초보 투자자로서 꼭 알아야 할 부분만 설명하겠습니다.

우선 해당 건축물의 소유권에 대한 정보가 담긴 '갑구' 부분(128쪽 참고)에서 '등기 목적'을 살펴봐야 합니다. 다른 용어들은 신경 쓰지 않아도 되지만 압류, 가압류, 경매개시결정, 가처분, 가등기 등의 용어가 있다면 초보자는 해당 물건을 거래하지 않는 것이 좋습니다.

소유권 이외의 정보가 담긴 '을구'에서도 등기 목적에 조심해야 할 용어들이 있습니다. 근저당권 설정, 전세권 설정, 주택임차권 등이죠. 129쪽 예시를 보면 '전세권 설정'에 빨간 줄이 그어져 있습니다. 이런 경우는 말소(삭제)됐다는 의미이므로 신경 쓰지 않아도 됩니다. 근저당권 설정은 이 집에 '대출'이 있다는 의미입니다. 집을 담보로 대출을 받는 것은 흔한 일이고 법적 다툼이 있는 것도 아니지만, 대출이 있는 집에 전세입자로 들어갔다가 내 보증금을 지키지 못할 수도 있으니 주의해야 합니다. 그러나 부득이하게 대출이 있는 집에 전세를 얻어야 하는 상황이라면 집주인과 계약할 때 '근

\[집합건물\] 대구광역시 북구 구암동 655-1 침곡3차서한타운 제OO동 OO층 OOOO				
순위번호	등 기 목 적	접 수	등 기 원 인	권리자 및 기타사항
				OO동 OO호
5	소유권이전	2015년7월31일 제154365호	2015년7월13일 매매	소유자 이OO 750920-******* 대구광역시 북구 침곡중앙대로53길 32, 107동 501호(태권동,한일아파트) 거래가액 금155,000,000원
5-1	5번등기명의인표시 변경	2015년12월25일 제310254호	2015년5월5일 전거	이OO 의 주소 대구광역시 북구 구암로32길 14,102동202호(구암동,서한아파트)
6	가압류	2020년2월4일 제19790호	2020년2월4일 대구지방법원의 가압류 결정(2020카단2 65)	청구금액 금12,206,750 원 채권자 하나캐피탈 주식회사 110111-0519970 서울 강남구 대혜란로 127, 20층(역삼동, 하나금융그룹강남사옥)
7	가압류	2020년3월24일 제50929호	2020년3월24일 대구지방법원의 가압류 결정(2020카단3 1446)	청구금액 금14,266,954 원 채권자 엔에이치농협캐피탈 주식회사 110111-3634425 서울 영등포구 국제금융로5길 27-5 (여의도동, 엔에이치농협캐피탈빌딩)
8	임의경매개시결정	2020년3월30일 제53954호	2020년3월30일 대구지방법원의 임의경매개시결 정(2020타경376 5)	채권자 의성농업협동조합 171535-0000091 경북 의성군 의성읍 군청길 15 (후죽리 456-22, 의성농협)

저당 항목을 말소하는 조건으로 계약한다'라는 사실을 특약에 명시하고, 잔금 이후 근저당이 소멸되었는지 확인하는 것이 좋은 방법입니다. 보통 집주인이 전세금을 받아서 대출을 갚는 경우가 많은데, 가급적이면 전세 잔금 당일에 소유자와 은행에 함께 방문하여대출 상환을 직접 확인하는 것이 좋습니다.

③ 위반 건축물이라는 폭탄을 피하라

다음으로는 건축물대장을 꼭 확인해봐야 합니다. 등기부등본과마찬가지로 중개사에게 받을 수도 있고, 정부24 사이트에서 출력

운명을 바꾸는 부동산 투자 수업_ 실전편

【 을 구 】	(소유권 이외의 권리에 관한 사항)			
순위번호	등 기 목 적	접 수	등 기 원 인	권리자 및 기타사항
1 (전 1)	근저당권설정	1996년4월12일 제27007호	1996년4월9일 계약	채권최고액 금일천소백육십만원정 채무자 홍○○ 대구 북구 ○○동 ○○○ 근저당권자 한국주택은행 111235-0001905 서울 영등포구 여의도동 36-3 〈수성동지점〉
1-1	1번근저당권이전	2005년12월19일 제79052호	2001년11월1일 회사합병	근저당권자 주식회사국민은행 110111-2365321 서울 중구 남대문로2가 9-1 〈대구업무지원센터〉
순위번호	등 기 목 적	접 수	등 기 원 인	권리자 및 기타사항
2 (전 2)	근저당권설정	1996년4월12일 제27210호	1996년4월10일 계약	채권최고액 금구백사십사만원 채무자 홍○○ 대구 북구 구암동 658-3 근저당권자 주식회사신한은행 110111-0303183 서울 중구 태평로 2가 120 〈원대동지점〉
				부동산등기법시행규칙부칙 제3조 제1항의 규정에 의하여 1번 내지 2번 등기를 1998년 04월 13일 전산이기
3	2번근저당권설정등 기말소	1998년5월2일 제17367호	1998년4월30일 해지	
4	전세권설정	2003년12월31일 제78242호	2003년12월30일 설정계약	전세금 금오천만원 범 위 구분건물 전부 존속기간 2003년 12월 30일부터 2005년 12월 29일까지 반환기 2005년 12월 29일 전세권자 남○○ 610225-******* 대구 북구 구암동 655-1 ○○아파트○○○동 ○○○호
4-1				4번 등기는 건물만에 관한 것임 2003년12월31일 부가
5	4번전세권설정등기 말소	2004년10월15일 제58992호	2004년10월15일 해지	

할 수도 있죠. 건축물대장에 어려운 용어가 많아 복잡해 보일 수 있지만, 크게 2가지 정도를 확인하면 됩니다. 건축물의 용도를 확인하고, '위반 건축물'이라는 표시가 있는지 확인하면 됩니다. 건축물대장의 '용도'에는 이 건축물을 정부에서 어떤 용도로 쓰도록 허가해

줬는지 여부가 기록됩니다. 아무리 봐도 빌라와 같은 평범한 주택
으로 보이는데 근린생활시설이나 사무소, 숙박시설이라고 쓰여 있
다면 일단 주의해야 합니다.

다음으로는 위반 건축물 여부를 확인해야 합니다. 위 이미지의
오른쪽 상단을 보면 '위반 건축물'이라고 쓰여 있습니다. 이는 건축
물 자체가 법을 위반했다는 말입니다. 이런 물건을 매수하게 되면
위반 사항을 원상복구할 때까지 '이행강제금'이라는 일종의 과태료
를 지속적으로 내야 합니다. 예를 들어, 외관은 빌라와 동일한데 저
층을 상가로 허가받은 경우가 있습니다. 군이 이렇게 하는 이유는
상가를 주택으로 취급하지 않기 때문에 주택을 한두 층 더 올려 지
을 수 있기 때문입니다. 규제를 피해 더 많은 집을 짓기 위한 일종

운명을 바꾸는 부동산 투자 수업_ 실전편

누가 봐도 빌라인데 상가로 허가를 받은 건물의 사례

의 속임수죠. 그런데 위반 건축물임에도 불구하고 초보 투자자를 속여 상가에 전세를 들어 살게 하거나 건물 전체를 신축 분양하여 팔아버리는 일이 심심찮게 발생합니다. 이렇게 빌라처럼 생긴 상가를 매수하게 되면 원래의 용도대로 원상복구할 때까지 이행강제금을 내야 합니다. 이런 곳은 사무실이라는 원래의 용도대로 임대해서는 제값을 받기가 힘들고, 사무실을 주택으로 용도 변경하는 것도 불가능하니 애물단지가 됩니다.

또한 일조권 규제를 피해 4층 이상부터 계단식으로 면적이 좁아지는 건물이 있습니다. 여기에 가벽을 세워 확장해서 쓰는 곳도 모두 위반 건축물에 해당합니다. 이러한 건물을 잘못 매수하면 원상복구할 때까지 이행강제금을 내야 합니다. 건물 내부에서는 위반 여부를 쉽게 인식하기 어려우니 계약 전에 반드시 건물 외부를 확인해봐야 합니다.

42 일시적 2주택자의 완벽한 갈아타기 전략

　더 나은 집으로 이사하고 싶은 욕망은 누구에게나 있을 것입니다. 20평대에 사는 사람은 30평에 살고 싶고, 수도권 외곽에 사는 사람은 중심부로 옮기고 싶어 하죠. 똑똑한 한 채에 투자해야겠다는 전략은 다주택자 규제가 여전한 요즘에도 유효한 방법입니다.

　문제는 1주택자로서 '갈아타기'를 할 때, 내 소유의 집에 살면서 이사 갈 집을 미리 구하는, 즉 잠깐이지만 2채를 소유하는 상황이 생기는 것입니다. 이른바 '일시적 2주택자'가 되는 것이죠. 다행히 일시적 2주택자는 부득이하게 한시적으로 주택을 하나 더 갖게 된 것이므로 1주택자로 분류되어 취득세와 양도세 등 세금 혜택을 받습니다. 물론 일시적 2주택자가 갖춰야 할 조건에 대해서는 미리 알아두고 확인해야 합니다.

일시적 2주택이 생겨난 배경

지금 살고 있는 집을 팔고 새 집을 매수하면 계속 1주택자를 유지할 수 있는데, 왜 일시적으로 2주택자가 되는 상황이 생길까요? 그건 집이라는 특수성 때문에 그렇습니다.

집에는 집주인이나 세입자가 거주합니다. 그중 임차인들은 주택임대차보호법으로 계약 기간을 보호받죠. 이러한 상황에서 '갈아타기'를 하려는 사람에게 일시적으로나마 2주택을 허용하지 않는다면 어떻게 될까요? 먼저 내 집을 판 뒤에 빈 집을 매수해야 하는데 시기가 딱 맞아떨어지기가 아주 어렵겠죠. 따라서 집을 팔고 짐은 보관소에 맡긴 뒤 숙박업소에 살면서 빈 집을 구해야 하는 상황이 됩니다. 국민들이 이런 불편을 감수할 필요는 없기에 나라에서도 일시적 2주택을 허용해주는 것입니다. 추가로 집을 먼저 매수하고, 그 집의 거주자가 나가는 시기에 맞춰 이사를 가라는 취지죠. 이는 부득이하게 주택 2채를 보유하는 것에 해당하므로 취득세, 양도세 등 다주택자 규제가 중과되지 않는 혜택을 받습니다.

종전 주택	신규 주택	일시적 2주택 기간
조정지역	조정지역	1년 이내 처분
비조정지역	조정지역	3년 이내 처분
조정지역	비조정지역	취득세 중과 대상 아님
비조정지역	비조정지역	

위쪽 표를 통해 일시적 2주택자의 취득세 중과 배제 요건을 확인해봅시다.

예를 들어 내가 현재 조정지역에 살고 있고 더 좋은 집으로 이사를 가기 위해 조정지역의 주택을 매수한다고 가정해보겠습니다. 이때는 종전 주택을 1년 이내에 처분한다는 조건으로 새로운 주택의 취득세 중과를 피할 수 있습니다.

또한 종전 주택의 양도세 비과세 혜택도 받을 수 있는데, 기본적으로 비과세를 받으려면 종전 주택을 취득한 날부터 1년 이상 지난 뒤에 신규 주택을 취득해야 한다는 조건이 따릅니다. 또한 양도일에 종전 주택은 2년 이상 보유하고 있어야 합니다(조정지역이라면 취득하고 2년간 보유 및 거주 조건까지 갖춰야 합니다). 여기에 종전 주택 취득 시점과 조정지역 여부에 따라 비과세 요건이 달라지니 오른쪽 표를 꼼꼼히 따져봐야 합니다.

여러 번 개정을 거듭하며 규제가 매우 복잡해졌기 때문에 너무

종전 주택	신규 주택	일시적 2주택 기간	
조정지역	조정지역	2018. 9. 13 이전 취득	3년 내 매도
		2018. 9. 14 ~ 2019. 12. 16 취득	2년 내 매도
		2019. 12. 17 이후 취득	1년 내 매도 & 1년 내 전입
비조정지역	조정지역	3년 내 매도	
조정지역	비조정지역		
비조정지역	비조정지역		

※ 보유 기간은 잔금일과 소유권이전등기 접수일 중 빠른 날을 기준으로 한다.

어렵게 느껴질지도 모릅니다. 하지만 일시적 2주택의 혜택을 받기 위해서는 위의 사항을 모두 체크해야 합니다.

일시적 2주택자가 반드시 알아야 할 3가지

위의 표에 따라서 갈아타기를 위한 매수와 매도 계획을 점검했다면 일시적 2주택자의 혜택에 한 걸음 다가선 셈입니다. 여기에 더해, 일시적 2주택자가 되기 전에 알아두면 좋은 몇 가지 사항이 있으니 참고하면 좋겠습니다.

① 욕심 부리다가 시기를 놓친다

조정지역의 경우, 취득세 중과를 피하려면 새로운 주택을 매수한 뒤에 종전 주택을 1년 이내에 매도해야 합니다. 만약 그 기간 안에 종전 주택을 매도하지 못하면 취득세 중과는 물론이고 양도세까지 과세되므로 큰 손해를 볼 수 있습니다.

사실 부동산 상승기에는 기존 주택을 한두 달이라도 늦게 매도하고 싶은 마음이 들게 마련입니다. 한 달 사이에도 집값이 뛰고 있으니 조금이라도 더 높은 가격에 매도하고 싶죠. 그러나 미루는 사이에 집이 제때에 팔리지 않으면 세금 부과로 인해 큰 손해를 볼 수 있습니다. 시한이 다가올 때 갑작스런 규제나 시장 변화가 생긴다면 '급매'나 심지어 '급급매'로 싸게 팔아야 하는 일도 생깁니다. 그러니 아무리 늦어도 매각 기한 6개월 전에는 집을 팔기 위해 시장에 물건을 내놓아야 합니다.

② 전세 낀 매물을 매수할 때 '2+2 쿠폰'을 유의하라

새로 이사 갈 집을 먼저 매수하는 경우에 주의할 점이 또 있습니다. 전세 낀 물건을 매수하는 경우에는 세입자의 전세 계약(2년)이 종료된 뒤 입주할 수 있습니다. 그런데 최근에는 제도적으로 임차인 권리 보호가 강화되면서, 기존 임차인을 내보내는 과정에서 분쟁이 발생할 소지가 있습니다. 예를 들어, 갑자기 임차인이 '2+2 쿠폰'이라고 불리는 계약갱신청구권을 쓰겠다고 주장하는 경우가 있습니다. 집주인이 실거주할 목적이면 임차인은 이를 요구할 수 없는데도 말입니다. 막무가내로 나가지 않겠다는 임차인을 만나면 정말 당혹스러워집니다. 법적으로 권리가 없다고 말해주고 소송을 한다고 해도 무작정 버티면 단기간에 해결되지 않습니다. 승소는 둘째치고 당장 기존 집을 매각해야 하는데, 오갈 곳 없는 처지가 될 수도 있죠. 갈아타기를 할 때는 이렇듯 다양한 경우의 수를 고려하여 매수와 매도 계획을 세우기를 추천합니다.

③ 재산세와 종부세를 줄이려면 6월 1일을 기억하라

부동산 보유와 관련된 세금으로 재산세와 종부세가 있습니다. '소유권'을 가진 부동산에 대해 내는 세금인데, 그 기준일이 매년 6월 1일입니다. 예를 들어, 5월 31일에 잔금을 치르고 집을 매수하게 되면 매수인인 내가 재산세와 종부세를 내야 하지만, 6월 2일에 샀다면 이를 모두 이전 소유권자가 내게 됩니다. 갈아타기를 준비하고 있다면 6월 1일 이전에 원래 가진 집을 매각하거나, 그 이후에 새로운 집을 매수하는 것이 유리합니다.

제2의 강남은 어디가 될까

집의 가치를 결정하는 6대 요소(직주근접, 생활 인프라, 학군, 편리함, 우월감, 개발 가능성)를 모두 갖춘 곳이 강남입니다. 입지가 좋아서 사람들이 몰리고, 그러니 더욱 입지가 좋아지는 선순환이 수십 년간 이어져 미래에도 강남을 뛰어넘는 지역이 나오기는 힘들 것입니다. 그러나 일부 지역들은 향후 강남과 격차를 빠르게 줄여나갈 가능성이 있습니다. 이번 수업에서는 소위 '제2의 강남'이 될 만한 지역들을 살펴보고, 지역의 미래 가치를 어떻게 판단해야 하는지 알아보겠습니다.

▶ 직주근접이 뛰어나고 개발 가능성이 높은 용산

용산은 '직주근접'과 '개발 가능성' 면에서 향후 가장 뛰어난 지역으로 꼽힙니다. 불과 몇 년 뒤에는 '환골탈태' 수준의 많은 변화가 계획되어 있어서, 강남에 가장 근접할 수 있는 지역 중 하나입니다.

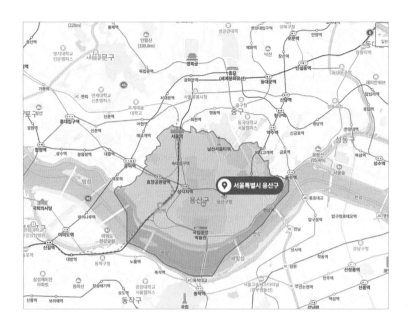

① 직주근접

용산은 강남 접근성이 뛰어난 반포의 한강 맞은편으로, 3도심(여의도, 강남, 광화문)의 중심부에 있습니다. 동부이촌동(이촌1동)과 용산역 인근의 한강로를 위시한 서울 정중앙이라는 지리적 장점이 있죠. '직주근접'만 놓고 보면 미래에는 오히려 강남보다 유리한 입지로 부상할 수도 있습니다.

② 생활 인프라

지리적 위치가 뛰어난데도 용산의 집값이 그만큼 오르지 못한 가장 큰 이유는 바로 생활 인프라의 부족입니다. 북으로는 남산, 중앙에는 미군기지, 서남쪽은 개발 중단 지역인 '용산 국제업무지구 부지' 등이 있어 좋은 입지를 제대로 활용하지 못하고 있습니다. 2021년 기준 용산구 인구는 22만 명(서울 25개 구 중 23위)으로 인구수도 적은 편입니다. 현재 용산역 인근으로 상업 인프라가 개발되는 추세지만, 타 지역에 비하면 아직 부족합니다. 용산구 내의 많은 개발 계획이 현실화되고 유동인구가 늘어나면 이러한 점은 상당 부분 개선될 것으로 보입니다.

③ 학군

동부이촌동에 오래된 아파트 단지가 모여 있긴 하지만 절대적인 인구가 적고, 타 지역에 비해 아파트 밀도도 낮습니다. 이 때문에 현재로서는 학군이 상대적으로 약한 편이지만, 추후 재건축·재개발로 인해 고가 아파트가 들어서면 학군도 자연스럽게 개선될 여지가 있습니다.

④ 편리함

자동차로 강변북로를 접근하기에는 용이한 편이지만 지하철 인프라는 상대적으로 미비합니다. 향후 GTX-B와 신분당선 연장 등이 계획되어 있어 교통 인프라가 개선될 것으로 기대됩니다.

⑤ 우월감

동부이촌동은 용산의 대표적인 부촌으로 불렸으나 현재는 주거 단지가 노후화되면서 그 이미지가 조금 퇴색했으며, 새롭게 떠오른 한남동 역시 몇 개의 고급 단지를 제외하고는 전반적인 주거 환경이 좋지 못합니다. 그러나 지역 전체가 개발되면서 이 지역에 대한 평가가 획기적으로 개선될 수 있습니다. 국제업무지구와 용산공원이 조성되고 동부이촌동 재건축·한남동 재개발을 통해 주거 여건까지 개선되면, 미래에는 모두가 부러워할 지역으로 변모할 것입니다.

⑥ 개발 가능성

용산 국제업무지구 개발과 미군기지의 용산공원화, 이촌동 재건축, 한남동 재개발 등이 예정되어 있어 거의 모든 지역이 개발될 예정입니다. 3도심과의 접근성, 국제업무지구에 생겨날 양질의 일자리를 따져보면 서울 어디로든 직주근접 면에서는 최적의 입지로 자리 잡을 것입니다. 또한 한강변 35층 규제 폐지로 초고층 아파트 등이 들어설 수 있어, 향후 10년 내 가장 변화가 많은 지역일 것으로 예상합니다.

▶ 재건축과 교통 호재, 여의도

1970년대 부촌의 상징이었던 여의도는 현재 직주근접을 제외하고는 미흡한 부분이 많습니다. 이는 아파트 재건축이 오랜 기간 중단되었기 때문이기도 합니다. 다만 최근 '더현대서울'이 입주하는 등 상업 인프라가 개선되고 있고 여기에 더해 향후 발전 가능성까지 따진다면 생각보다 빠르게 강남을 따라잡을 것으로 예상합니다.

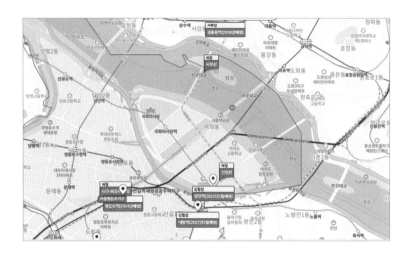

① 직주근접

서울 3도심 중 하나인 여의도는 고소득 직군인 금융업의 집합지로 직주근접에서는 최상위권이라 할 수 있습니다. 다른 2도심과도 지하철로 연결되어 있어 지금도 3도심으로의 접근성은 좋은 편입니다. 다만 강남으로의 접근은 9호선 급행에만 의지하고 있어 상대적으로 불편한 편입니다. 추후 신림선 및 서부선이 개통되면 2·7호선 접근성까지 좋아지므로 교통 인프라가 큰 폭으로 개선될 것입니다.

② 생활 인프라

여의도동은 단독주택이나 빌라 없이 아파트로만 구성된 몇 안 되는 지역 중 하나입니다. 대부분 1970~80년대에 지어져서 재건축 연한을 훨씬 넘어섰으나 정치적인 이슈로 인해 지지부진한 상황입니다. 1971년에 준공된 여의도 시범아파트만 해도 여전히 재건축 초기 단계에 머물러 있죠. 이곳의 아파트 상가들도 대부분 낙후된 상태입니다. 인근에 더현대서울, IFC몰 등이 들어서면서 상업 인프라가 개선되기는 했으나, 여전히 주거용보다는 사무용 인프라에 치중된 경향이 있습니다. 추후 재건축이 진행되면 생활 인프라도 크게 개선될 것으로 보입니다.

③ 학군

여의도동은 아파트와 오피스텔을 모두 합쳐도 1만 7천 세대가 채 안되는 지역입니다. 또한 위로는 한강, 아래로는 샛강으로 분리되어 있는 지형이라 절대적인 인구수가 적어 학군지 형성에 어려움이 있습니다. 인근에 서울의 2위 학군지로 불리는 목동이 있다는 점도 학원가 형성에 불리하게 작용하죠. 재건축이 이루어지면서 고가 아파트가 밀집되면 자연적으로 학원가가 형성되긴 하겠지만, 상위권 학군지로 발달하기에는 다소 어려움이 있습니다.

④ 편리함

여의도는 현재 지하철 5호선과 9호선이 지나고 있어 교통이 편리한 편입니다. 여기에 추가로 GTX-B, 신림선, 신안산선, 서부선이 신설되기 때문에 교통 호재가 가장 많은 지역이죠. 또한 서울 한강변 중 유일하게 횡단보도만 건너면 한강을 누릴 수 있다는 장점도 있습니다. 장차 강남에 버금갈 정도로 이곳에 교통 인프라가 밀집되리라 예상합니다.

⑤ 우월감과 개발 가능성

앞서 말한 대로 한강공원이 단절되어 있지 않다는 점은 여의도가 가진 차별적인 이점입니다. 현재는 한강공원이 낙후된 편이고 주변에 노후화된 중층 아파트가 들어서 있어 제대로 된 평가를 받지 못하고 있지만, 앞으로 변화의 가능성이 매우 큰 지역입니다. 재건축 추진에 따라 한강공원도 리모델링할 예정이며, 한강변 층수 제한이 폐지되면서 여의도에 초고층 아파트가 들어설 수 있게 되었습니다. 고액 연봉자가 모여 있는 금융 중심지, 그것도 한강변에 초고층 아파트가 들어선다면 여의도의 '우월감'은 크게 높아질 것입니다. 그동안 지지부진했던 개발이 한꺼번에 추진되면서 주거지 전체가 동질성 있게 개발된다는 점은 오히려 이점으로 작용합니다. 향후 여의도는 우리나라 금융 중심지이자 초고층 주거 밀집지로서 특별한 위상을 가질 것입니다.

▶ 강남의 확장, 잠실

용산과 여의도가 강남과는 다른 방향으로 발전하고 있다면, 잠실은 '강남의 확장'이라는 면에서 미래가 기대되는 지역입니다.

① 직주근접

잠실은 3도심 중 광화문·여의도 접근성이 상대적으로 떨어집니다. 그러나 2호선과 직결되어 강남 접근성은 가장 좋은 편입니다. 현재도 2호선 잠실역에서 강남역까지 지하철로 12분이면 갈 수 있죠. 다만 3도

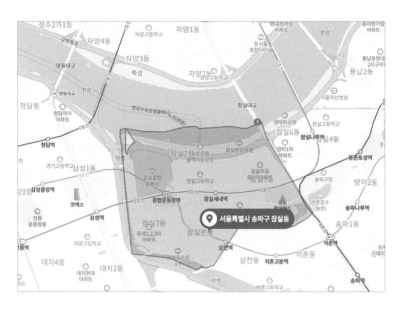

심을 잇는 3각형의 외부(용산, 반포는 내부에 위치)에 위치해 있어서 지금까지는 입지적으로 불리한 면이 있었습니다. 추후 계획된 개발을 통해 강남의 중심이 강남역에서 삼성역으로 이동하면, 사실상 잠실은 강남 업무지구에 포함됩니다. 즉, 잠실은 강남 확대의 최대 수혜지 중 하나가 되리라 예상합니다.

② 생활 인프라

잠실 지역은 3~6천 세대의 초대형 단지 아파트 위주로 구성되어 있습니다. 도보로 한강, 석촌호수 등의 녹지 인프라를 이용할 수 있는 지역이기도 하죠. 또한 '롯데 공화국'이라는 말이 어울리게 롯데월드, 롯데백화점, 롯데월드타워 등 최상급 생활 인프라가 존재합니다. 여기에 각종 경기장과 공연장, 대형 영화관, 콘서트홀까지 갖추고 있죠. 주거 환경으로만 보면 서울 최상위 지역이라고 할 수 있습니다.

③ 학군

잠실 학군은 조금 독특한 면이 있습니다. 초·중학교 학군은 상위권이지만, 인근에 대치동이라는 우리나라 최고 학군지가 있어서 고등학교 학군은 상대적으로 떨어지는 편입니다. 상위권 학생들이 특수목적고등학교나 강남구의 다른 학교를 지원하는 경향이 있기 때문입니다. 학원가도 어느 정도 형성되어 있으나 최상위권 학생은 대치동 학원가를 이용하는 경우가 많습니다. 대치동과 가깝다는 이점이 오히려 학원가 발전의 한계를 긋는 단점으로 작용합니다.

④ 편리함, 우월감, 개발 가능성

앞서 말했듯 강남 지역의 중심지가 점차 강남역에서 삼성역으로 이동할 것입니다. 삼성동 부지에 현대자동차 사옥(GBC)이 들어서고 영동대로 지하 공간이 복합 개발될 예정이죠. 이렇듯 강남의 중심이 삼성역으로 옮겨지면 '강남의 확장'이라는 측면에서 추후 잠실이 강남권에 포함될 수 있습니다. GTX-A·C·D 등의 교통 호재가 현실화되고 잠실종합운동장 MICE 복합 개발이 마무리되면, 잠실은 한국 최고 업무지구 배후 주거지로서의 역할을 맡게 될 것입니다(참고로 MICE란 회의 Meeting, 포상 관광Incentives, 컨벤션Convention, 전시회Exhibition 등 네 분야의 머리글자를 딴 것으로, 부가가치가 매우 높은 서비스 산업을 말합니다). 특히 잠실 MICE 산업으로 제2코엑스가 건립되고 신축 야구장과 호텔, 복합 쇼핑몰이 추가로 들어설 예정인데, 우리나라 최고층 건물인 롯데월드타워까지 연결되어 삼성동과 잠실이 하나의 거대한 업무지구이자 관광지로 부상할 가능성이 높죠. 또한 잠실 한강공원과 탄천도 재정비 계획이 수립되어 있는데, 모두 진행될 경우 잠실의 주거 가치가 더욱 상승할 것으로 예상합니다. 정리하면, 앞으로 잠실은 강남권역에 포함되면서 우수한 생활 인프라로 우월감을 가질 수 있는 지역이 될 것입니다.

▶ 그 밖의 '제2의 강남' 후보 지역

앞서 말한 3곳에 미치지 못하더라도 판교와 마포, 마곡 역시 미래가 기대되는 지역입니다. 판교는 IT 기업들의 밀집지이자 강남의 배후 지역이라는 장점이 있고, 마포는 광화문과 여의도 중간에 위치해 두 도심의 배후지로서 기능할 것입니다. 마곡에는 양질의 일자리가 들어서며 직주근접과 생활 인프라를 갖춘 자족 도시의 역할을 할 것입니다.

여기서 중요한 점이 있죠. 이 3곳 모두 큰돈이 필요한 투자 지역이라는 겁니다. 그럼에도 제가 이 지역들을 소개한 이유는 투자자가 알아야 할 가치 변화의 요소를 이해하고, 내가 투자할 수 있는 지역 중에 비슷한 변화 요소가 있는 곳을 찾아보라는 뜻입니다. 6가지 조건을 모두 갖추지 않아도 됩니다. 2~3가지의 변화만 있어도 투자 기회를 찾을 수 있습니다.

10부

부동산 투자에서

'아파트'를 빼놓고 논할 수는 없습니다.

우리나라 사람들이 가장 선호하는 주택 유형,

즉 수요가 높은 상품이기 때문이죠.

8부에서 수도권의 입지를 분석했다면

여기서는 지방 광역시, 소도시 투자까지

아파트 실전 투자를 위한 노하우를 공개합니다.

실전 투자자를 위한
아파트 투자의 기술

43

'전세 끼고 매매',
알고 보면 복잡하지 않다

　흔히 집을 살 때 '전세 끼고 산다'라는 말을 합니다. 세입자가 있는 집을 매수하거나, 주인이 사는 집을 매수하면서 동시에 전세입자를 구해 그 돈으로 매수 잔금을 치를 때 쓰는 표현이죠. 최근에는 이를 '갭투자'라고 부르는데, 사실 예전부터 있었던 거래 방식입니다. 그럼 언제 갭투자를 하게 될까요? 매매가와 전세금이 크게 차이 나지 않는 집을 여러 채 살 때가 있습니다. 그런가 하면 실거주하고 싶은 집이지만 당장 대출을 받기 힘들거나 자금이 모자랄 때 일단 전세를 끼고 갭투자를 하기도 합니다. 매수인 입장에서는 매매가격과 전세금의 차액만 있으면 되고, 대출을 받는 것 대비 이자 부담도 없으니 상대적으로 비싼 집을 살 수 있죠.

말은 간단하지만, 사실 초보 투자자라면 이런 과정 자체가 낯설게 느껴질 수도 있습니다. 그런 분들을 위해 집을 살 때 흔히 이뤄지는 '전세 끼고 매매'에 대해 자세히 설명합니다.

기존 임차인이 있는 경우: 전세 계약의 모든 것을 승계한다

이미 임차인이 살고 있는 집을 매수할 때는 매매가격에서 전세금만큼 뺀 차액만 있으면 집주인으로부터 소유권을 가져올 수 있습니다. 예를 들어 매매가격이 6억 원인 집에 4억 원의 전세로 들어온 세입자가 있다면, 투자자인 나는 2억 원만 있으면 해당 주택을 매수할 수 있습니다. 집주인은 어째서 6억 원의 집을 2억 원만 받고 파는 걸까요? 주택임대차보호법에 따라 매수자는 임차인의 계약을 무조건 승계하므로 세입자의 전세금을 돌려줄 의무도 함께 갖게 됩니다. 기존 집주인 입장에서는 매수자에게 2억 원만 받고 임차인에게 돌려주어야 할 4억 원의 전세금을 같이 넘기는 것이죠. 참고로 계약은 자동 승계되므로 특별히 세입자가 원하지 않는다면 계약서를 다시 쓸 필요는 없습니다.

운명을 바꾸는 부동산 투자 수업_실전편

집주인이 살고 있거나 공실인 경우:
세입자를 새로 구해 잔금을 치른다

이번에는 집주인, 즉 매도인이 살고 있거나 공실인 집을 매수하는 경우를 살펴보겠습니다. 이때는 중간 과정이 하나 더 추가됩니다. 내가 그 집의 새로운 세입자를 구해 세입자의 전세금으로 잔금을 치러야만 내 소유가 됩니다.

동일하게 6억 원의 집을 매수한다고 가정해보겠습니다. 이 집의 전세 시세는 현재 4억 원 정도로 형성되어 있습니다. 계약은 집값의 10%인 6천만 원만 있으면 가능하지만, 나머지 5억 4천만 원의 잔금을 해결해야 합니다. 그렇다면 잔금을 치르기 전까지 미리 이 집에 들어올 세입자를 구하는 과정이 필요합니다. 집의 매수 잔금일과 전세입자의 입주일을 같은 날로 맞추면, 전세금을 받는 즉시 매도자에게 전달하여 잔금을 납부하고 소유권을 가져올 수 있습니다. 물론 전세금 4억 원으로도 부족한 1억 4천만 원은 매수자가 미리 준비를 해둬야겠죠.

이 과정에서 세입자가 '주택의 현재 소유권자'와 전세 계약하기를 원할 수도 있습니다. 법적으로 전세입자는 매도자와 계약을 하는 것이 맞습니다. 아직 우리는 잔금을 내지 않았고 집주인도 아니기 때문입니다. 이때는 중개사를 통해 매도인과 세입자가 전세 계약을 체결하도록 진행하면 됩니다. 그럼 잔금일에 매도인의 통장으로 전세금이 모두 입금될 것이고, 나는 잔금일에 전세금을 제외한 나머지 금액을 입금하면 매매계약이 성사됩니다. 복잡해 보이지만 현실에서 흔히 일어나는 일입니다.

계약을 지켜내는 3가지 방법

그런데 위의 사례를 읽다 보면 이런 의문이 생깁니다. 매매계약을 진행했는데, 내가 세입자를 제때 구하지 못해 잔금을 치르지 못하면 어떡하나 하는 고민이죠. 그런 때에는 내가 대출을 받아서라도 일단 잔금을 치러야겠지만, 큰돈을 갑자기 마련하기는 매우 어렵죠. 계약이 파기되어 계약금을 잃는 최악의 상황을 맞닥뜨리지 않으려면, 계약하기 전에 다음 3가지 사항을 염두에 두고 진행해야 합니다.

① 잔금일을 넉넉하게 협의하라

매매계약을 체결하고 세입자를 바로 구하면 좋겠지만 내 마음대로 되는 일은 아니지요. 세입자가 계속해서 구해지지 않는 난감한 상황을 조금이라도 피하기 위해, 매매계약을 체결할 때부터 매도인과 협의하여 잔금일을 여유 있게 정하는 편이 좋습니다. 다만 여기서 중요한 건 매도자와의 협상입니다. 잔금일을 3개월 뒤로 잡을 수 있다면 매수자 입장에서는 아무래도 한결 마음이 편합니다.

② 중도금을 내라

중도금이란 계약일과 잔금 사이에 일부 치르는 돈을 말하며, 매수인과 매도인이 협의하여 중도금을 지급하게 됩니다. 집값이 워낙 큰돈이기 때문에 매수인 입장에서는 중도금에 대한 부담이 크게 느껴질 수 있습니다. 하지만 중도금을 내면 얻을 수 있는 분명한 장점이 있습니다. 우선, 중도금을 지급하는 대가로 잔금일을 늦춰달라고 협상해볼 수 있습니다. 매도자 입장에서 중도금을 받으면 잔금일을 조금 늦춰줄 여유가 생길 수도 있으니까요. 또한 중도금 지급은 쌍방이 계약을 중도 파기할 수 없다는 의미이기도 합니다. 최악의 경우 잔금일을 맞추지 못하더라도 계약은 유지됩니다. 다만 이런 경우 법정이율 연 12%의 지체 이자를 지불해야 할 수도 있다는 점은 기억해야 합니다.

③ 전세 시세를 너무 희망적으로 보지 마라

오랜 시간 세입자가 구해지지 않는다면, 내가 받고 싶은 전세금이 '희망 전세가'로 지나치게 높지 않은지 살펴봐야 합니다. 네이버 부동산 등에 등록된 '호가(매도 희망자가 제시하는 가격)'만 믿고 전세를 내놓으면 난감한 상황에 빠질 수 있습니다. 따라서 매매계약서를 작성하기 전에 현재 전세 시세와 임차 수요에 대해 중개사무소에 들러 충분히 조사해야 합니다. 여러 중개사무소에 들르면 빠르게 알아볼 수 있죠. 그리고 전세금을 10% 이상 낮게 계약할 가능성을 염두에 두고 추가금을 융통할 각오도 해야 합니다.

갭 투자자는 항상 '역전세'에 대비해야 한다

전세 레버리지를 활용하여 주택을 매수할 때 주의해야 할 점이 있습니다. 바로 '전세가 하락'입니다. 3억 원의 주택을 2억 7천만 원의 전세를 끼고 매수했다고 가정해봅시다. 단순 계산하면 1억 5천만 원만 있어도 이런 집 5채를 살 수 있습니다. 집값이 오를 때는 주택 수를 늘려가고 싶은 마음이 듭니다. 그런데 만약 전세 만기가 도래하는 2년 뒤에 전세 가격이 2억 5천만 원으로 하락한다면 어떻게 될까요? 이것을 '역전세'라고 부르는데, 지역과 상황에 따라 충분히 일어날 수 있는 일입니다.

역전세가 발생하면 세입자의 전세금을 돌려주기 위해 한 채당 2천만 원씩, 총 1억 원의 자금을 추가로 구해야 합니다. 따라서 항상 전세가가 하락할 수도 있다는 사실을 염두에 두고 이런 일이 벌어졌을 때 어떻게 자금을 조달할지 미리 고민해야 합니다. 투자금을 모두 쓰지 않고 일부를 가지고 있을 수도 있고, 신용대출은 쓰지 않고 남겨놓는 것도 방법입니다.

운명을 바꾸는 부동산 투자 수업_ 실전편

부동산 투자를 할 때는 당장의 성과도 중요하지만, 항상 '리스크'를 관리해야 한다는 사실을 잊지 말아야 합니다.

핵심 요약

기존 임차인이 있는 경우

매매계약서를 쓰고, 계약금(통상적으로 집값의 10%)을 지불한다 → 잔금일에 매매가격에서 기존 전세금과 계약금을 뺀 나머지 잔금을 치른다 → 소유권이 이전되며 기존의 전세 계약도 그대로 승계된다

집주인이 살고 있거나 공실인 경우

매매계약서를 쓰고, 계약금을 지불한다 → 해당 주택의 전세를 내놓아 세입자를 구한다 → 매매 잔금일과 전세입자 입주일을 같은 날로 맞춘다 → 매매 잔금일에 세입자의 전세금에 부족분을 더해 잔금을 치른다

44

지방에 투자하기 전 반드시 알아야 하는 것들 (1)광역시

많은 분들이 서울 및 수도권에 투자하기를 희망합니다. 그럼 반대로 지방에서는 기회가 없는 걸까요? 결론부터 말하면 그렇지 않습니다. 투자자는 비교적 적은 투자금으로 지방의 주택을 매수할 수 있다는 장점이 있죠. 투자라는 것은 결국 수요와 공급의 시차에서 기회를 보는 것이고 그런 일은 전국 어디에서나 일어날 수 있습니다. 그러니 투자자라면 서울, 수도권뿐만 아니라 지방 부동산의 흐름도 늘 지켜보아야 합니다.

광역시, 특정 권역 안에서
사람들이 가장 선호하는 지역

지방 광역시 투자 방법에 대해 알아보기 전에, 먼저 '수요'와 '공급'이라는 투자의 기본 원리를 짚어보겠습니다. 집값은 왜 오르는 걸까요? 결국 주택 가격이 오르는 근본적인 이유는 수요에 비해 공급이 부족하기 때문입니다. 대안이 존재하지 않을수록, 그리고 그 대안의 부재가 오래갈수록 가격은 더욱 오르게 되어 있습니다.

이런 관점에서 지방 투자에 성공하려면 '수요'와 관련하여 두 가지를 염두에 둬야 합니다. 첫째, 아파트에 집중해야 합니다. 인구가 적은 지역일수록 사람들이 선호하는 주택 유형을 매수하는 편이 더욱 안전하기 때문입니다. 물론 오피스텔, 빌라에서도 기회는 있습니다만 아파트에 비해 선호도가 낮기 때문에 투자의 난도가 훨씬 높아집니다.

둘째, 투자의 안전성 측면에서 보면 지방 투자 중에서도 광역시 투자가 조금 더 안전한 편입니다. 광역시는 서울만큼은 아니지만 해당 지역에서는 가장 선호되는 곳입니다. 즉 특정 권역 안에서 수요가 가장 높죠. 지금부터 광역시 투자에 대해 알아보도록 하겠습니다.

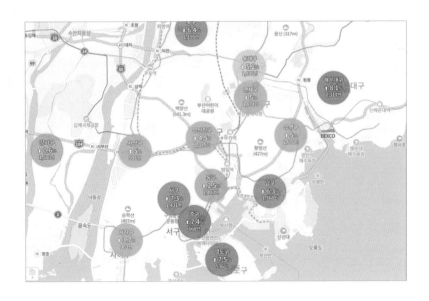

광역시 투자법 ①
그 지역의 '상급 지역'을 찾아라

광역시에 투자할 때 기억해야 할 점이 하나 더 있습니다. 해당 광역시 내에서도 선호도가 높은 지역(동)에 투자해야 더욱 안전합니다. 예를 들어 부산광역시는 경상남도에서 많은 사람이 살고 싶어 하는 '최고 선호 지역'일 가능성이 높지만, 부산 자체의 면적이 넓어서 지역 안에서도 격차가 있습니다. 투자자는 범위를 좁혀서 부산의 어느 지역이 '대장 지역'인지 알아내야 합니다.

이러한 상급 지역은 어떻게 찾을까요? 가장 간단한 방법은 가격

운명을 바꾸는 부동산 투자 수업_ 실전편

을 가지고 판단하는 것입니다. 가격이 비쌀수록 그 지역 사람들이 선호하는 상급 지역일 가능성이 크죠. 이를 알아보는 방법은 간단합니다. 먼저 부동산지인(aptgin.com) 홈페이지에 접속해 '빅데이터 지도'를 클릭하여 부산 지역을 확대하면, 부산 구별 평 단가(해당 지역 아파트 한 평에 해당하는 평균 가격)를 알 수 있습니다.

160쪽 지도에 따르면 부산에서는 수영구가 평당 2,670만 원으로 가장 높고, 해운대구가 2,311만 원으로 2위, 동래구가 1,935만 원으로 3위라는 사실을 확인할 수 있습니다(2022년 2월 기준).

그런데 같은 구 안에서도 동별로 가격 차이가 큽니다. 이번에는 동별로 아파트 평 단가를 찾아보겠습니다. 먼저 메인 화면에서 맨 위 '지역 분석'을 누르고, 상단 메뉴에 지역을 검색합니다. 그러면 맨 하단에 해당 시나 구의 동별 정보가 아래쪽 표와 같이 정리됩니다. 예를 들어, 하단 표를 통해 영선동4가의 평 단가는 1,333만 원이

고 동삼동은 879만 원이라는 사실을 확인할 수 있습니다.

이러한 작업을 여러 번 거쳐 평 단가가 높은 지역 순서대로 정리해보면, 사람들이 어떤 지역을 가장 선호하는지 알아볼 수 있습니다.

같은 방식으로 대구광역시를 정리해보면 수성구, 중구, 서구 순으로 평 단가가 높습니다. 또다시 3개 구 각 동의 평 단가를 조사하여 상위 10개를 정리해보면 상위 10개 지역 중 무려 8곳이 수성구이고, 다른 구에 비해 상당히 높았습니다. 이를 통해 대구의 대장 지역은 '수성구'이고, 그중에서도 현재 범어동과 수성동이 가장 수요가 큰 '선호 지역'이라는 사실을 유추해볼 수 있습니다.

물론 이런 자료만으로 투자 의사를 결정해서는 안 됩니다. 다만 내가 잘 알지 못하는 지역에 처음 접근할 때, 가장 쉽게 얻을 수 있는 자료임은 분명합니다. 평 단가가 높은 동 순서대로 정리한 뒤에는 이를 토대로 지역을 자세히 분석하고 호재를 찾아보면 됩니다. 그럼 지금 어디에 투자해야 할지 감이 잡힐 것입니다.

순위	지역	평 단가 (단위: 만 원)	순위	지역	평 단가 (단위: 만 원)
1	수영구 남천동	3,988	1	수성구 범어동	3,093
2	해운대구 우동	3,421	2	수성구 수성동3가	2,753
3	수영구 수영동	3,364	3	수성구 황금동	2,532
4	해운대구 중동	2,901	4	수성구 두산동	2,509

운명을 바꾸는 부동산 투자 수업_실전편

5	수영구 민락동	2,566	5	수성구 만촌동	2,142
6	동래구 명륜동	2,491	6	수성구 수성동4가	1,951
7	동래구 수안동	2,270	7	수성구 수성동1가	1,944
8	해운대구 재송동	2,181	8	수성구 상동	1,922
9	해운대구 좌동	2,173	9	중구 대봉동	1,797
10	동래구 사직동	2,047	10	중구 대신동	1,795

부산시 동별 아파트 평 단가 상위 10개 지역을 정리한 표(왼쪽)와 같은 방식으로 대구를 정리한 표(오른쪽). 2022년 2월 기준.

광역시 투자법 ②
수요량과 입주 물량(공급량)을 확인하라

앞서 부동산 시장에서 '수요'와 '공급'이 중요하다는 점을 강조했는데, 지방 광역시 역시 마찬가지입니다. 주변 중소도시에서 광역시로 이주하려는 수요가 꾸준한 편이지만, 현재 인구가 감소하는 광역시도 있으므로 주의해야 합니다. 또한 서울에 비하면 광역시는 주택 공급이 상대적으로 수월한 편이므로, 향후 3년간의 신축 아파트 공급 물량을 확인해야 합니다.

공급량, 즉 입주 물량을 파악하는 방법은 매우 간단합니다. 부동산지인 메인 화면의 '수요/공급' 탭에서 내가 원하는 지역을 선택한 후 '검색'을 클릭하면 여러 자료가 나옵니다. 화면을 조금 아래

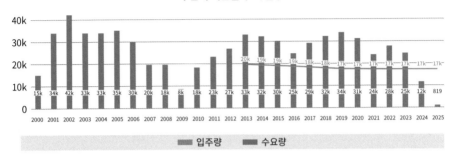

부산의 기간별 수요/입주

| | 입주량 | 수요량 |

로 내리면 해당 지역의 과거부터 향후 3년까지의 입주량과 수요량이 막대그래프 형태로 나타납니다.

위 그래프에 따르면 부산은 2022년부터 2023년까지 총 5만 3천여 세대의 신축 아파트가 공급될 예정입니다. 수요보다 공급이 많은 상태이므로 입주가 본격적으로 시작되는 시기에 인근 기축 아파트의 전세가가 불안해질 수도 있습니다. 전세 임차인의 이주 수요가 새 아파트로 쏠리기 때문입니다. 다만 2024년부터는 공급량 부족으로 돌아서므로 단기적인 영향에 그칠 가능성이 있다는 점을 감안하여 투자를 결정하면 됩니다.

참고로 세종시는 2021년에 거의 1만 세대에 달하는 입주가 있었습니다. 수요의 5배에 달하는 입주가 동시에 이루어지면서 전세 시세가 하락하고, 따라서 매매가격도 주춤하는 추세를 보였죠. 대구광역시는 2023년 한 해만 수요량의 3배에 달하는 3만 5천여 세대

운명을 바꾸는 부동산 투자 수업_ 실전편

의 입주가 예정되어 있습니다. 물론 광역시는 주변 소도시 수요를 흡수하기 때문에 공급량이 많다고 해서 무조건 시세가 하락한다고 예측할 수는 없습니다. 이를 상쇄하는 개발 호재가 있거나 해당 지역에 풍선효과로 투자 심리가 몰리면 공급량이 많은 시기에 가격이 상승하기도 합니다. 다만 공급량 초과 시기가 투자에 부정적인 구간이라는 점은 분명하니, 투자를 할 때 좀 더 주의할 필요가 있습니다.

광역시 투자법 ③
해당 광역시의 상위 20% 아파트를 사라

투자할 때는 수요가 큰 상품을 고르는 것이 좋은데, '아파트'가 여기에 해당합니다. 광역시 투자를 고려한다면 해당 광역시에서 상위 20% 가격의 아파트를 찾아서 매수하는 편이 안전합니다. 상위 20%의 아파트라면 아무래도 대장 지역에 위치할 가능성이 높겠죠. 특정 권역 안에서 상위 20%의 아파트를 투자하는 방식은 지금도 충분히 해볼 만한 투자라고 생각합니다.

그런데 내가 가진 돈으로 해당 광역시의 상위 20% 아파트를 매수할 수 없는 상황이라면 어떻게 해야 할까요? 실거주가 아닌 투자 목적이라면 좀 더 가격이 저렴한 광역시를 선택하면 됩니다. 예를 들어, 같은 돈으로 부산의 상위 20% 아파트는 불가능하더라도 광주에서는 가능할 수도 있죠. 어떤 지역이든 그 지역의 '상위권'에 투자해야 안전하다는 것이 지방 투자의 기본입니다. 여기에 해당 지역의 공급량과 호재 등도 고려하여 투자처를 정하면 안전한 선택을 할 수 있습니다.

45 지방에 투자하기 전 반드시 알아야 하는 것들 (2)소도시

"부동산 투자를 하고 싶은데 투자금이 작아서 걱정입니다. 5천만 원으로 유명한 지방 소도시의 아파트를 매수하면 어떨까요?"

투자금이 상대적으로 작을 때는 지방 소도시 아파트 투자도 고려해볼 만합니다. 단, 지방 소도시의 수요는 광역시에 비해 훨씬 적으므로 매매가격이 수요와 공급에 보다 더 민감하게 반응한다는 점을 알아두어야 합니다.

지방 소도시 투자법 ①
해당 지역의 '대장 아파트'를 사라

앞서 지방 광역시에 투자할 때 해당 지역 상위 20%의 아파트를 매수하는 것이 안전하다고 했습니다. 지방 소도시에 투자할 때는 더욱 엄격하게 투자 물건을 선정해야 합니다. 투자금이 충분하다면 되도록 '그 지역에서 가장 좋은 신축 아파트' 매수를 추천합니다. 지방 광역시에 비해 소도시 인구는 20~30만 명 정도로 매우 작은 편입니다. 신축 아파트가 들어서면 기축 아파트는 크게 영향을 받는다는 말이기도 합니다. 그러므로 작은 도시일수록 신축 아파트를 매수하거나 분양권, 입주권에 투자해야 공급이 늘어도 대응이 가능합니다. 한마디로 그 도시에서 가장 좋은 아파트를 사라는 의미입니다.

지방 소도시 투자법 ②
권역 전체의 수요량과 공급량을 체크하라

지방 소도시에 투자할 때는 반드시 해당 지역과 영향을 주고받는 '권역'을 정리해봐야 합니다. 그런 다음 도시별로 3년간 수요량과 공급량을 확인한 뒤에 투자를 결정해야 하죠. 인구가 매우 작은

항목 \ 연도		2020년		2021년		2022년		2023년	
도시	인구수	입주량	수요량	입주량	수요량	입주량	수요량	입주량	수요량
전주시	654,963	8,893	3,327	2,474	3,326	3,397	3,324	1,073	3,320
익산시	286,997	1,220	1,428	1,598	1,407	1,235	1,405	996	1,404
군산시	269,799	3,598	1,356	973	1,343	993	1,342	771	1,341
논산시	118,871	-	590	312	579	-	579	425	584
정읍시	110,310	260	549	404	539	-	539	386	539
보령시	100,908	699	507	1,382	498	-	497	-	500
김제시	83,803	-	417	946	409	-	410	188	409
계	1,625,541	14,670	8,174	8,089	8,101	5,625	8,096	3.839	8,097

전주-익산-군산 권역 내의 입주량과 수요 출처: 부동산지인

지방 소도시의 경우는 인근 도시에 신축 아파트가 공급되는 것만으로도 크게 영향을 받을 수 있기 때문입니다. 예를 들어, 전라북도 군산시에 투자를 고려한다고 가정해봅시다. 이때는 군산의 수요량과 공급량을 확인하는 것만으로는 부족합니다. 서로 영향을 주고받을 수 있는 인근 지역인 전주와 익산 등의 수요량과 공급량까지 모두 확인해야 합니다. 군산에서 출퇴근할 수 있는 지역을 인구수로 정렬하고, 수요량과 공급량을 확인해보면 위 표와 같습니다.

표를 보면, 군산은 전주에 이어서 권역 내 인구수 3위로 중상위

권 도시라는 사실을 확인할 수 있습니다. 이때 수요량과 공급량을 체크하려면 군산보다 인구가 많은 전주와 익산을 먼저 확인해봐야 합니다. 여기서 끝이 아닙니다. 해당 권역 자체가 총 인구수 160여 만 명으로 적기 때문에 하위 소도시들도 모두 고려해봐야 합니다. 인구가 적을수록 권역 전체의 수요량과 공급량이 서로 유기적인 영향을 끼칩니다. 표를 보면 2020년에 전주와 군산에서 대규모 입주가 있었고, 권역 전체로 보아도 공급량(14,670)이 수요량(8,174)을 초과했음을 알 수 있습니다. 2020년 하반기에는 권역 전체의 아파트 시장이 악영향을 받았을 것이라 유추해볼 수 있습니다.

2021년부터 2023년까지 3년간은 수요량이 공급량보다 많습니다. 2020년 하반기에 전주나 군산 쪽에 최상위 아파트를 매수했다면 괜찮은 투자가 되었을 것입니다. 실제 가격 변화를 확인해볼까요?

2018년에 준공된 군산의 신축 아파트 e편한세상군산디오션시티의 전세가와 매매가를 살펴보겠습니다. 2020년 하반기를 기점으로 해당 아파트 30평대의 매매가격이 급격히 상승했다는 사실을 알 수 있습니다. 만약 2020년 말에 이 아파트에 투자했다면 매매가와 전세가의 차이인 1억 원으로 매수할 수 있었을 것입니다. 5천만 원 정도의 투자금만 있어도 신용대출을 받으면 충분히 접근 가능한 시기였죠. 2022년 2월 현재 호가가 5억 4천만 원 정도에 형성되어 있으니, 그 시기에 투자했다면 8천만 원의 수익을 낼 수 있었을 것입니다. 수익률이 160%에 이르는 매우 성공적인 투자라고 할 수 있습니다.

운명을 바꾸는 부동산 투자 수업_실전편

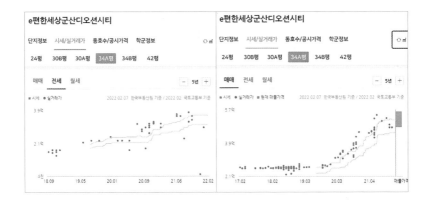

지방 소도시 투자법 ③
리스크 높은 투자, 타이밍이 관건이다!

　말로만 들으면 참 쉬워 보이지만 기본적으로 지방 소도시 투자는 리스크가 높기 때문에 초보 투자자에게 추천하기는 어렵습니다. 워낙 수요가 적은 지역이므로 해당 권역의 수요량과 공급량을 따져서 매우 정확한 타이밍에 투자해야 성과를 볼 수 있습니다. 또한 최적의 타이밍을 찾아서 신축 아파트에 투자한다고 하더라도 항상 성공한다고 보장할 순 없습니다. 절대 수요가 적은 지역이므로 수요 공급 논리와 별개로 다주택 규제나 대출 규제, 규제지역 지정 등의 시장 변화에 직격탄을 맞기도 하기 때문입니다.

　다시 한번 강조하지만, 지방 소도시 투자의 첫 번째는 '타이밍'입니다. 수요가 쌓이고, 인근 지역에 공급까지 비슷한 시기에 '급매'로 매수해야 리스크를 줄일 수 있습니다. 시세가 오르는 것만 보고 뒤늦게 투자하면, 먼저 진입한 투자자들이 보유 기간을 채우고 매물을 내놓으면서 해당 지역 전월세가 요동치고 매도가 어려워질 수도 있습니다. 이 점을 기억하고 지방 소도시 투자는 매우 신중하게 접근해야 합니다.

46

투자 후
제때 세입자 맞추려면
이것만은 지켜라

사업가 입장에서 물건이 팔리지 않아 재고가 쌓이게 되면 매우 난감합니다. 비용을 들여 상품을 만들었는데 수익이 나지 않고, 관리 비용만 느는 데다 감가상각으로 가치가 나날이 떨어질 테니까요. 부동산 투자에도 재고가 있습니다. 임대인 입장에서는 세입자를 구하지 못해 비어 있는 집이 '재고'라고 할 수 있죠. 특히 세입자의 전세 보증금을 받아서 잔금을 치러야 할 때 세입자를 제때 구하지 못하면 계약이 파기될 위험까지 있습니다. 세입자를 제때 구하는 노하우는 없을까요?

아무것도 하지 않으면
아무런 결과도 나오지 않는다

"전세금을 레버리지 삼아서 3억 원짜리 지방 소도시 아파트에 투자했는데 요즘 잠을 못 잘 정도입니다. 매매계약서를 쓰기 전에 부동산 모바일 앱에서 호가를 확인해보니 전세금을 2억 5천만 원은 받을 수 있겠더라고요. 그런데 두 달이 넘도록 중개사님에게 아무런 연락이 없습니다. 잔금일이 다가올수록 불안하고 초조해 죽겠습니다. 왜 세입자가 구해지지 않을까요? 대체 저는 어떻게 해야 하나요?"

투자를 하다 보면 누구나 이런 상황에 처할 수 있습니다. 지금껏 100명이 넘는 임차인을 구해보며 얻은 깨달음은 '투자자가 적극적으로 행동하는 만큼 성과가 따라온다'는 것입니다. 위 사연의 경우 현재 호가만 믿고 매매계약을 진행한 점과 두 달이 넘도록 중개사의 연락만 기다리고 있었다는 점이 아쉽습니다.

만약 생각처럼 임차인이 구해지지 않는다면 반드시 그 이유를 알아내고 해결 방법을 찾아내야 합니다. 임차인을 구하는 것이 오로지 중개사의 일이라고 생각해선 안 됩니다. 임차인을 빨리 구하는 것도 투자자의 능력입니다.

세입자를 부르는 작지만 강력한 차이

'작은 차이가 명품을 만든다'라는 광고 카피가 있습니다. 부동산 투자에서도 '디테일'이 많은 것을 결정합니다. 세입자를 빨리 들이고 싶다면 세부적인 면에도 신경을 써야 합니다. 그 사소하지만 큰 차이는 무엇일까요?

① 여러 명의 중개사에게 매물을 내놓아라

낚시를 할 때 낚싯대를 많이 드리우면 물고기를 잡을 확률이 올라갑니다. 여러 중개사에게 전세 매물을 내놓으면 당연히 세입자를 구할 확률이 높아지겠죠. 지금 거래하고 있는 중개사와의 관계를 고려하면 다른 중개사에게 전세 매물을 내놓기가 껄끄러울 수도 있습니다. 그런데 이것이 상도덕에 어긋나는 것은 아니니 너무 걱정하지 않아도 됩니다. 세입자를 빨리 찾지 못해 내가 손해를 입을 가능성을 최소화하는 방법이니까요. 먼저 중개사에게 자주 연락하여 상황을 확인하세요. 시간이 지나도 세입자가 나타나지 않는다면 그때는 다른 방법을 찾아야 합니다.

"중개사 님, 한 달이 지났는데 아직 세입자가 나타났다는 소식이 없어서 걱정이 됩니다. 2주 뒤부터는 다른 중개사무소에도 내놓으려고 합니다. 그전에 최대한 구해질 수 있도록 부탁드려요."

정중히 양해를 구하고 다른 중개사무소에도 매물을 내놓으면 됩니다. 여러 곳에 내놓는 것이 아무래도 임차인을 구할 확률을 높일 수 있습니다.

② 옆 단지 중개소에도 매물을 내놓아라

보통은 매물이 속한 단지의 중개사무소에만 연락하게 되는데, 저는 옆 단지나 인근 동네 중개사무소에도 매물을 내놓으라고 권합니다. 세입자는 무 자르듯 지역을 구분하여 집을 찾지 않습니다. 직장과의 거리나 가진 돈 등을 따져서 괜찮다 싶으면 바로 옆 동네를 볼 수도 있죠. 세입자를 들이기 어려운 시기일수록 옆 동네까지, 최대한 많은 중개사무소에 매물을 적극적으로 내놓아야 한다는 사실을 기억하세요.

③ 전세 가격을 조금 낮추어서 내놓아라

부동산 투자에서 갭투자는 흔히 쓰는 방법이라고 할 수 있습니다. 당연히 일시적으로 갭 투자자가 몰리는 지역이나 아파트 단지에서 갑자기 전세 매물이 많아지는 때가 있습니다. 분명 내가 매수를 결심할 때만 해도 전세 매물이 많지 않았는데, 어느 순간 전세가 쌓이는 경우입니다. 시장의 규모 자체가 작은 지방 소도시일수록 갭투자 수요가 갑자기 몰릴 가능성이 큽니다. 매수한 뒤에 내 예상보다 전세 매물이 많아져서 세입자를 구하기 어려워지면 어떻게 해야 할까요?

이때는 나의 매물 순위를 객관적으로 파악하는 것이 중요합니다. 전세 물건이 부족할 때는 조건이 좋지 않아도 세입자를 구하기 수월하지만, 전세 물건이 많을 때는 세입자가 선호할 만한 조건의 동·호수부터 계약됩니다. 따라서 내가 투자한 집이 다른 집에 비해서 선호하는 층이나 동인지, 인테리어가 나은지 고민해보고, 그렇지 않다면 가격을 낮추는 결단이 필요합니다. 지금 당장 전세 계약을 하지 못하면 매매계약이 파기될 위험도 있으니, 우선 세입자를 구한 후 다른 문제는 나중에 고민하는 것도 현명한 투자 자세입니다. 전세금은 추후 다시 돌려줘야 하는 금액이고, 몇 년 뒤에 시세에 맞춰 전세를 놓을 기회가 생길 수도 있기 때문입니다.

④ 중개사가 나를 기억하게 하라

중개사에게 자주 연락하는 것과 별개로 '나'라는 투자자를 중개사가 기억하게 만드는 것이 좋습니다. 나 스스로 인간적인 호감이 생기는, 도와주고 싶은 사람이 되는 것이죠. 중개사에게 지나치게 사무적으로 대하거나 '갑질'을 할 이유가 전혀 없습니다. 통화 한 번을 하더라도 친절하게, 예의를 잘 지켜야 합니다. 직접 찾아갈 때는 음료수 하나라도 드리며 웃는 얼굴로 대화를 나누고요. 원하는 조건을 분명히 이야기하면서도 예의 바른 사람, 그런 매력적인 투자자여야 하나라도 더 도와주고 싶은 마음이 생기니까요. 그런 의미에서 중개수수료를 무조건 깎기보다 합리적인 선에서 협의합니다. 중개사와 투자자는 서로 상생의 관계입니다. 결국 그 지역에 믿을 만한 중개사와 좋은 관계를 유지해야 매수, 임대, 매도 상황에서 조금이라도 도움이 되는 거래를 할 수 있습니다.

결국 임차인을 구할 때는 소유자 본인의 노력이 가장 중요합니다. 그리고 객관적으로 나의 물건을 판단하고 결단을 내려야 하죠. 노력 없이 부동산 투자로 돈을 벌 수는 없습니다. 내 행동이 모여 내 인생을 바꾸듯이, 나의 노력으로 투자 결과를 바꿀 수 있습니다.

47

인테리어, 최소 비용으로 최대 효과를 내라

코로나 팬데믹으로 집에서 머무는 시간이 길어지면서 '홈 인테리어'에 대한 관심이 급증했습니다. 재택근무, 온라인 수업 등으로 홈 오피스를 꾸미기도 하는 등 라이프스타일의 변화가 홈 인테리어 트렌드에도 영향을 미치고 있죠. 실거주 목적이 아니라 투자를 위해 집을 매수할 때도 인테리어를 해야 하는 상황이 빈번히 발생합니다. 내 집처럼 멋지게 꾸밀 필요는 없지만, 임차인을 들이기 위한 인테리어로 매물 경쟁력을 높여야 하는 경우가 있죠. 이때 핵심은 지나치게 큰돈을 들이지 않으면서 최대한 효율적으로 수리를 해야 한다는 것입니다.

내가 살 집이 아니라면 욕심을 버려라

큰돈을 들여 인테리어를 해놓으면 전세금이나 월세를 더 많이 받을 수 있을까요? 인테리어가 멋지게 되어 있으면 당연히 세입자 입장에서 나쁠 것은 없겠지만, 무조건 그런 것은 아닙니다. 입장을 바꿔 생각해보면 됩니다. 어차피 남의 집이고 계속 이 집에서 거주한다는 보장도 없습니다. 그리고 인테리어가 잘되어 있는 집이라면 조금이라도 비싸게 받으려 할 것이고요. 임차인이 이곳에 전세로 거주하려면 더 많은 비용을 지불해야 하는데, 그 돈이면 차라리 더 넓은 집이나 살기 좋은 지역을 가는 편이 낫겠다고 생각할 수도 있습니다. 임차인 입장에서는 인테리어보다 더 중요한 점들이 많기 때문이죠. 인테리어가 마음에 들지 않더라도 임차 비용이 적게 들어가는 편을 선호할 수 있습니다.

또한 인테리어에 돈을 쓰는 만큼 집값이 올라가지는 않는다는 사실도 기억해야 합니다. 내가 5천만 원을 들여서 인테리어를 했다고 집의 가치가 5천만 원 오르지는 않습니다. 매도할 때 인테리어 비용을 모두 회수할 수 없다는 뜻입니다. 매수자 입장에서는 수리한 집을 5천만 원 더 비싸게 사기보다는, 차라리 인테리어를 하지 않은 집을 싸게 사서 자신의 취향대로 꾸미는 편이 낫다고 생각하기 때문입니다. 따라서 실거주용이 아닌 임대 목적의 집이라면 수리비는 최소한으로 쓰는 것이 유리합니다.

운명을 바꾸는 부동산 투자 수업_실전편

최소한으로 최대의 효과를 내는 4가지 노하우

앞서 수리에 큰돈을 쓸 필요가 없다고 했지만, 그렇다고 아무것도 하지 말라는 뜻은 아닙니다. 전월세 물량이 극히 적은 지역이라면 집의 상태가 썩 좋지 않아도 임차인을 구할 수 있겠지만, 그렇지 않은 상황에서는 내부가 깔끔할수록 임차인을 구하는 데 유리합니다. 그래서 최소한의 인테리어로 최대의 효과를 내는 것이 중요합니다. 여기서 '최소한'이라는 말에는 여러 의미가 있습니다. 같은 지역이나 아파트 단지의 다른 매물과 비교해 '평균' 정도는 해야 한다는 뜻이기도 하고, 거주에 있어서 필수적인 부분에 대해서는 고장 난 부분을 고치고 보수해줘야 한다는 의미도 있습니다.

집을 수리해야 한다고 하면 덜컥 걱정부터 하는 분들도 많겠지만 그럴 필요는 없습니다. 지금부터 최소한의 인테리어로 최대의 효과를 내는 방법 4가지를 소개합니다.

① 인테리어의 80%는 도배와 장판이다

도배와 장판은 집에 들어왔을 때 첫인상을 결정합니다. 누렇게 변색되었거나 촌스러운 색이거나 많이 낡아 있다면 교체를 고려해봐야 합니다. 이때는 그리 큰 비용이 들지도 않습니다. 장판과 벽지 도배만 새로 해도 집의 분위기가 확 달라집니다. 바닥과 벽, 천장이 집 전체 면적의 80%를 차지하기 때문입니다. 따라서 가장 적은 돈

조명과 벽지, 장판 등을 수리한 인테리어 사례

으로 큰 효과를 볼 수 있는 수리가 바로 도배와 장판 교체입니다. 위 사진을 보면, 벽지와 장판 교체만으로도 분위기가 확연히 달라졌다는 사실을 알 수 있죠.

② 조명만 바꿔도 다른 집이 된다

도배와 장판이 면적의 80%를 차지한다면 조명은 집안 전체에 영향을 미치는 '빛'을 담당합니다. 도배와 장판을 수리해도 조명이 어두우면 그 효과가 반감되죠. 반대로 도배와 장판을 그대로 두고 조명만 바꿔도 분위기가 훨씬 좋아집니다. 과거 형광등에 비하면 최근의 LED 조명은 훨씬 밝고 디자인이 다양해졌습니다. 낡은 빌라나 오래된 구축 아파트에 투자한 분들 중 수리에 큰 비용을 들이기 곤란하다면, 먼저 조명 교체부터 고려해보기를 추천합니다. 들어간 비용 대비 큰 효과를 볼 수 있습니다.

운명을 바꾸는 부동산 투자 수업_ 실전편

③ 큰 공사를 최대한 줄여라

인테리어 공사에서는 설비를 바꿀 때 가장 큰 비용이 들어갑니다. 화장실 공사나 싱크대, 새시를 교체하려면 큰돈이 들기 때문에 최대한 기존의 것을 살려서 사용하는 것이 좋죠. 예를 들어, 싱크대의 경우 필름 시공과 손잡이 교체만으로도 거의 새것 같은 느낌을 낼 수 있습니다. 이처럼 최소한의 비용으로 수리할 수 있는 요소를 찾아보는 것이 먼저입니다. 그런데 부분적으로 수리하는 비용이 오히려 많이 들 때도 있습니다. 이럴 때는 일단 전·월세 비용을 조금 낮춰서 세입자를 구하고 이후에 전체 교체(올 수리)를 진행하는 편이 가격 면에서 더욱 저렴할 수 있습니다.

④ 대략적인 인테리어 비용을 알면 두렵지 않다

최소한의 인테리어를 할 때 들어가는 비용은 어느 정도일까요? 정확한 기준은 없습니다. 지역, 인테리어 업체, 자재에 따라 천차만별이기 때문입니다. 그럼에도 불구하고 최소한의 예산은 미리 생각해놓아야 집을 매수할 수 있습니다. 지금까지 저의 경험에 비추어볼 때, 평당 20만 원 정도의 예산을 잡으면 깔끔하다고 느껴지는 최소한의 수리를 할 수 있습니다. 물론 이 가격으로 화장실과 싱크대, 새시를 모두 교체하는 '올 수리'를 진행할 수는 없습니다. 다만 33평형 아파트를 최소한으로 수리할 때 약 660만 원 정도를 예산으로 잡으면, 이 비용 안에서 최소한의 수리는 해볼 수 있다는 뜻입니다.

구분		비용
기초	도배 / 장판 / 페인트	12~13만 원(평당)
개별 공정	화장실	250~300만 원
	싱크대	150~300만 원
	새시	300~700만 원

이는 말 그대로 최소한의 기준이지, 멋진 집을 기대해서는 안 되는 금액입니다.

위 표는 공정별로 대략적인 공사비 기준을 나타낸 것입니다. 지역과 업체, 면적마다 비용이 다르니 개략적인 기준을 잡는 용도로만 참고해야 합니다.

인테리어에서 가장 비싼 부분은 새시 교체인데, 다행히 새시는 자주 교체할 일이 없습니다. 단지 안에 다른 집들이 새시 교체를 했는지 여부를 따져보고 교체를 고민해보면 됩니다. 새시 교체는 건물 외부에서도 쉽게 확인할 수 있죠. 또한 지역에 따라서 요구하는 최소한의 인테리어 수준도 다릅니다. 같은 25평 아파트라도 전세 시세가 3억 원인 곳과 8억 원인 곳은 세입자의 눈높이가 다를 수밖에 없으니까요.

운명을 바꾸는 부동산 투자 수업_ 실전편

인테리어 업체를 활용하는 5가지 노하우

보통 인테리어를 할 때는 한 업체를 선정하여 전체 시공을 맡기는 '턴키' 공사를 하는 것이 대부분입니다. 공정별로 쪼개서 직영 계약을 맺고 공사하는 경우도 있지만, 초보자에게는 권하지 않습니다. 일정 조정 및 하자 보수의 책임 소재 등 감당하기 어려운 영역이 많기 때문입니다. 그런데 한편으로는 전체 공사를 한 업체에 맡기면, 업체 측에서 비용을 너무 과하게 청구하거나 부실하게 공사하지는 않을까 걱정이 되기도 하죠. 수리 업체와 계약할 때 어떤 점을 주의해야 할까요?

① 경쟁 매물을 여러 개 확인하여 공사 범위를 정한다

어디까지 수리할지 범위를 정하는 일은 사실 매수 전에 다른 매물과 비교해 결정할 수 있는 사항입니다. 이미 해당 집을 매수하기 위해 단지 내 여러 물건을 봤을 것입니다. 그때 살펴보았던 내부 상태를 기준으로 삼아 비슷한 수준으로 고치면 됩니다. 누차 강조했듯이, 임장을 할 때 사진을 찍어두었다면 도움이 되겠죠. 사진을 찍지 못했다면 상세히 메모를 남겨놓아야 추후 수리 범위를 쉽게 정할 수 있습니다.

② 여러 업체의 견적을 받는다

인테리어를 할 때는 여러 업체의 견적을 받는 것이 중요합니다. 이때 업체에 각 항목별로 공사비를 구분해서 견적서를 달라고 요청해야 합니다. 그래야 각 업체별 견적을 제대로 비교할 수 있습니다. 예를 들어 A업체에서는 도배와 장판 비용이 250만 원이라는데 B업체는 150만 원이라고 한다면, A업체 측에 이렇게 문의해보는 겁니다. "사장님, 어떤 업체에서는 도배와 장판 시공에 150만 원이 든다고 하는데 여기는 왜 비용이 비싼가요?"라고 말이죠. 그럼 혹여나 가격 협상의 여지가 생길 수도 있고, "이 아파트는 그렇게 싼 자재를 쓰면 임대 놓기 힘들어요" 하는 식으로 가격 차이에 대한 이유를 알아낼 수도 있습니다. 한두 곳의 견적을 받아서는 충분히 비교할 수 없으니 최소 5곳 이상의 견적을 받기를 추천합니다.

③ 중개사가 추천한 곳이나 지인을 무턱대고 믿지 말라

간혹 중개사에게 추천을 받아 인테리어를 하는 경우가 있습니다. 물론 해당 업체가 좋은 곳일 가능성도 있지만, 인테리어는 시공부터 사후 관리까지 신경 써야 하며 분쟁도 많이 일어나기 때문에 무턱대고 맡기면 위험합니다. 소개를 받았더라도 다른 곳과 비교해봐야 합니다.

인테리어 전문가인 지인에게 맡기는 경우도 있는데 저는 개인적으로 추천하지 않습니다. 우선 해당 지역 아파트 인테리어의 '최소 수준'을 알지 못할 가능성이 크고, 하자가 발생해도 지인이라는 이유로 서로 얼굴을 붉히느니 그냥 넘어갈 수도 있습니다. 지인이라고 해서 꼭 나에게 유리하게 도와주리라는 보장은 어디에도 없습니다. 결국 여러 업체를 비교해보는 것이 좋습니다.

④ 업체에 '가장 싸게 해달라'고 요청해야 비교가 된다

비교의 기본은 '동일 조건'을 만드는 것입니다. 자제와 공법에 따라 가격 차이가 크게 나는 인테리어 시공에서 어떻게 동일 조건을 만들 수 있을까요? 업체 측에 견적을 요청할 때, 가장 싸게 수리할 수 있는 견적을 달라고 하면 됩니다. 최소한의 비용으로 견적을 내달라고 요청하지 않으면 업체에서는 나름의 기준으로 자재를 선정하고 공법도 바꾸게 됩니다. 그럼 자연히 업체 간 비교가 어려워지죠. 그러니 가장 저렴한 견적을 받아서 비교해본 뒤에 더 필요한 공정이 있다면 나중에 추가하는 방식으로 진행하는 편이 낫습니다.

⑤ 잘 모르겠다면 그 동네에서 오래 영업한 업체에 맡겨라

세대 규모가 큰 아파트라면 단지 가까이에 인테리어 업체가 한두 곳쯤은 있게 마련입니다. 그중 오랫동안 영업한 업체에 맡기면 몇 가지 장점이 있습니다. 첫째, 실력이 검증된 곳일 가능성이 큽니다. 둘째, 해당 아파트 주민이 원하는 인테리어 수준을 알고 있습니다. 셋째, 동네 주민을 대상으로 하는 가게이므로 평판을 신경 쓸 수밖에 없습니다. 업체를 정하기 어려울 때는 그 동네에서 오래 영업한 업체에 맡기는 것이 차선책이 될 수 있습니다.

'셀프 인테리어'는 피해라

간혹 인테리어 시공비를 아끼기 위해 '셀프 인테리어'를 시도하는데, 이것 또한 권하지 않습니다. 집수리는 전문가의 기술이 필요한 분야입니다. 비전문가인 우리가 돈을 아끼겠다고 공사를 하다가 소탐대실할 수도 있습니다. 물론 저렴하게 공사하고 싶은 마음은 이해하지만, 무턱대고 손을 댔다가 오히려 보수 비용이 더 드는 경우도 있습니다. 또한 투자자 입장에서 시간은 '돈'과 같습니다. 셀프 인테리어를 준비하는 데 들어가는 시간과 노력도 돈입니다. 결국 전체적인 비용을 고려하면 셀프 시공으로 돈을 크게 아낀다고 볼 수 없습니다.

인테리어는 전문 기술의 영역입니다. 이를 인정하고, 다소 비용이 들더라도 잘 맡아서 해줄 전문 업체를 찾는 데 노력과 시간을 들이기를 추천합니다.

48 집은 언제 팔아야 하는가

모든 사람이 궁금해하는 것이 '언제 사서 언제 팔아야 할까?'입니다. 가장 원하는 바는 바닥에서 사서 꼭지에서 파는 것이지만 쉬운 일이 아니지요. 언제 어떻게 사야 하는지는 앞에서 계속 이야기했으니 이제 파는 이야기를 해보겠습니다. 투자 목적으로 주택을 매수하고 난 뒤의 최대 고민은 '언제 팔아야 할까'입니다. 심지어 매수하자마자 매도를 걱정하는 분도 있습니다. 저는 부동산 투자에서 매도 시기는 이미 매수할 때 정해진다고 생각합니다. 그 말은 반대로 말하면 언제 팔 것인지 '출구 전략'을 세운 뒤에 매수해야 한다는 의미이기도 합니다.

안 팔아도 되는 집을 사는 것이 먼저다

집을 사고 나서 불안한 마음이 들고, 언제 팔아야 하는지 고민하는 사람들은 매수하기 전에 언제 팔 것인가를 생각해보지 않은 경우가 많습니다. 물건의 가치와 미래 가능성을 진지하게 공부하고 고민한 뒤에 결정했다면 불안할 일은 없을 것입니다. 그런데 마음이 갈대처럼 바뀌고 하루하루 불안하다면 애초에 '사지 말아야 할 집'을 산 것일 수도 있습니다.

그럼 가장 좋은 투자는 무엇일까요? '팔지 않아도 될 집', 그러니까 오래 보유해도 좋은 집을 매수하는 것이 상책입니다. 내가 거주할 집이라거나, 장기적인 호재를 보고 계속 보유해야 할 물건을 샀다면 매도 타이밍에 대해 고민할 필요가 없죠. 예를 들어, 재건축 예정인 아파트에 투자했다고 가정해봅시다. 실제로 재건축이 조금씩 추진되고 있고 주변 환경이 계속 발전하고 있다면 이보다 편안한 투자가 없습니다. 시간을 두고 기다리면 미래 가치는 지금보다 훨씬 좋아질 것이기에 크게 걱정할 일이 없죠. 또한 내가 실거주할 수 있는 집을 매수했을 때도 마찬가지입니다. 실거주가 가능하고 살기에 만족스럽기까지 하다면 더욱 오래 집을 보유하고 싶을 것입니다.

문제는 이런 집만 살 수는 없을 때가 훨씬 많다는 겁니다. 가진 돈은 한정되어 있고 투자는 해야 하니 어느 정도 보유한 뒤에 매도를 고려하는 물건일 때가 훨씬 많습니다. 이런 물건에 투자하면 어떤 생각을 하게 될까요? 고점에 팔아서 최대의 이익을 얻어야겠다는 마음으로 가득 차 불안해지기 시작합니다.

'고점'과 '저점'을 맞히려고 하지 마라

가장 싼값에 사고 가장 비싼 값에 판다. 이런 소망은 소망일 뿐 '불가능하다'고 보는 편이 더욱 맞습니다. 부동산 전문가들조차 저점과 고점을 정확히 맞히지 못합니다. 그런 사람은 전문가가 아니라 예언가에 가깝죠.

결국 투자를 잘하는 사람은 고점과 저점을 잘 맞히는 사람이 아니라, 전체적인 방향성과 변곡점을 빠르게 알아채는 사람입니다. 그러니 초보 투자자일수록 더더욱 집값의 저점과 고점 같은 것을 예측하려고 해서는 안 됩니다. 그보다 전체적인 방향성을 믿고 투자해야 하죠. 집값이 상승하는 상황이라면 나도 같이 투자를 해야 합니다. 저점을 잡으려다가 상승기 전체를 놓쳐버릴 수도 있기 때문입니다.

그럼 어떻게 변화의 방향성을 꿰뚫어볼 수 있을까요? 투자자라면 다음의 사항들을 항상 체크해야 합니다.

① 내가 매수한 지역의 상황을 예의주시하라

기본적으로 부동산 시장은 주식 시장에 비하면 변화가 매우 천천히 일어납니다. 하지만 투자자는 부동산 시장의 흐름을 늘 주시해야겠죠. 특히 내가 매수한 지역의 변화를 꾸준히 파악해야 합니다.

체크리스트를 만들어서 작성해보아도 좋습니다. 최소한 두 달에 한 번은 해당 지역 중개사에게 전화를 해서 물건의 시세를 확인하고, 변동 사항 및 사건이나 호재, 악재 등을 확인합니다. 한 달에 한 번이라면 더욱 좋습니다. 매달 시장 상황을 체크하다 보면 전체적인 '경향'을 파악할 수 있게 됩니다.

② 내가 매수한 물건의 시세 변화를 기록하라

내가 매수한 집의 가격 변화를 주기적으로 확인해 정리합니다. 특히 투자한 물건이 여러 채로 늘어날수록 꼼꼼한 정리는 필수입니다. 네이버부동산 등의 호가와 실거래가를 기준으로 정리하고, 최근 실거래가가 없다면 KB 시세를 확인하거나 중개사에게 문의해서 현재 시세를 알아봅니다.

③ 시세 상승과 하락 원인을 제대로 파악하라

내가 매수한 집의 시세 변화를 파악하는 일도 중요하지만, 더욱 중요한 것은 '왜 변화가 일어났는가'를 따져보는 겁니다. 내가 산 물건의 가격이 유지 혹은 상승하는 중이라면 여유가 있지만, 하락하는 경우에는 조급한 마음에 바로 매도를 고려합니다. 그러나 일시적인 가격 하락일 수도 있으니 시세 변동의 원인을 명확히 파악하는 것이 우선입니다.

다른 금융 자산에 비해서는 덜하지만, 부동산 역시 시세가 변동하는 자산입니다. 항상 집값이 오르는 것은 아니며 보합이나 조정, 하락기를 맞기도 합니다. 이때 무조건 가격이 정체하거나 하락한다고 매도를 결정해선 안 됩니다. 하락 요인이 단기적으로 해결될 수 있는 것이라면 보유하면 되고, 나의 예상과 달리 시장이 급격히 변화하거나 쉽게 해결할 수 없는 악재가 있다고 판단되면 집값이 상승하더라도 매도를 준비해야 합니다.

결국 매도를 결정하는 핵심은 원인을 정확히 분석하는 것입니다. 원인을 제대로 분석하기 위해서는 인터넷으로 정보를 충분히 검색하고, 부동산 애플리케이션 등을 통해 통계 수치를 확보해야 할 뿐만 아니라, 실제 그 지역에서 활동하는 중개사 다수의 의견까지 들어본 후 종합적으로 판단해야 합니다. 비교적 단기간에 해결되는 문제인지, 계속 누적되는 문제인지를 구분하려고 노력합니다.

'대안'을 찾고 매도하라

내가 가진 매물의 가격이 상승하는데도 매도를 해야 할 때가 있습니다. 그런 일은 언제 일어날까요? 바로 '내가 소유한 물건 외에 더 나은 대안을 찾았을 때'입니다. 현명한 투자자는 부동산 상승기에도, 하락기에도 투자할 최적의 대상을 찾고 있어야 합니다. 더 나은 투자 대상을 찾았다면 기존의 집을 매도하고 새로운 집을 매수하면 됩니다. 이때가 바로 기존 집을 매도하는 최적의 타이밍입니다.

우리는 더 나은 투자 대상을 찾아내는 눈을 기르기 위해 공부합니다. 부동산 투자는 결국 '많이 쌓는' 쪽이 성공할 확률이 높습니다. 이론적인 지식을 더 많이 쌓고, 현장에서 보고 들으며 직접 투자해 경험을 쌓아야 합니다. 그럼 전체 시장의 흐름을 예측할 수 있는 눈이 생기고, 변화에 유연하게 대응하면서도 쉽게 흔들리지 않는 안정감이 생깁니다. 투자금을 모으고 있는 분부터 이미 집을 보유한 분까지 모두 '더 나은 대안'을 위한 공부를 끊임없이 해야 합니다.

나의 첫 투자가 최고의 투자일 리는 없습니다. 항상 공부하고 더 나은 대안을 찾다 보면 더 좋은 투자를 할 수 있게 됩니다. 그러니 처음부터 가장 성공한 투자를 해야겠다고 마음먹을 필요는 없습니다. 현재 내가 할 수 있는 최선의 선택을 한 뒤, 더 나은 기회를 찾아 발전시켜야 투자를 꾸준히 이어갈 수 있습니다. 물론 한번 투자한 매물을 그냥 방치하는 것도 금물입니다. 항상 나의 선택이 잘못되었을 수도 있다는 마음으로 지속적으로 살피고 대안을 찾아보세요. 다음으로 여러분이 투자한 물건의 시세 변화를 한눈에 볼 수 있는 양식을 준비했습니다. 자신의 상황에 맞게 활용하여 매도 타이밍을 정해보기 바랍니다.

내 재산은 스스로 지켜야 합니다. 이 책의 기초편에서 계속해서 강조했던, "부자가 되고 싶다면 돈을 벌려고 하지 말고 투자를 잘하는 사람이 되려고 해야 한다"라는 말을 매 순간 명심해야 합니다.

물건 정보

단지 정보

✓ 서울시 건축물 대장 정보 >

세대수	4424세대(총28개동)	저/최고층	14층/14층
사용승인일	1979년 08월 30일	총주차대수	3021대(세대당 0.68대)
용적률	204%	건폐율	20%
건설사	한보주택		
난방	지역난방, 열병합		
관리사무소	02-567-7608		
주소	서울시 강남구 대치동 316 도로명 서울시 강남구 삼성로 212		
면적	101㎡, 115㎡		

물건주소	서울시 강남구 대치동 316 은마아파트 0동 000호		
분양면적	30.7평	전용면적	23.22평
매수일자	2000-01-01	매수가격	200,500 만 원

임차 정보

성명	홍길동	연락처	010-1234-1234
임차일자	2020-05-01	만기일자	2020-05-01
보증금	45,000 만 원	차임	- 만 원
중개사명	00공인중개사	연락처	02-123-1234

시세 정보

구분	매매 시세	전세 시세	월세 보증	월세 차임	특이사항
20년 01월	200,500	49,000	5,000	150	
20년 03월	198,000	55,000	5,000	150	전세는 오르는데 매매가격은 큰 차이가 없다고 함
20년 05월	184,500	54,000	5,000	150	
20년 07월	195,000	55,000	5,000	150	
20년 09월	215,000	59,000	5,000	160	전세 부족, 가격이 상승하고 있음
20년 11월	207,000	67,500	5,000	160	

21년 01월	208,500	82,500	5,000	160	이사철 수요로 전세가 급등
21년 03월	211,500	82,500	5,000	165	
21년 05월	220,000	77,500	5,000	165	매매가격도 꾸준히 올라가고 있음
21년 07월	220,000	87,500	5,000	165	
21년 09월	222,500	80,000	5,000	165	대출 규제로 전세 수요가 줄어들었다고 함
21년 11월	233,500	80,000	5,000	165	재건축 규제 완화 이야기가 나오면서 가격이 조금씩 변하고 있음
22년 01월	233,500	77,500	5,000	165	
22년 03월					
22년 05월					
22년 07월					

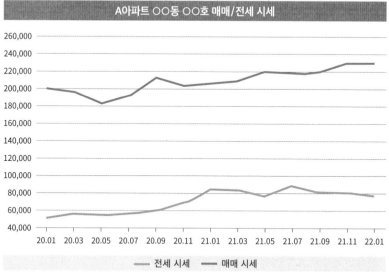

A아파트 ○○동 ○○호 매매/전세 시세

전세 시세 ——— 매매 시세

초보 투자자를 위한 '권역' 구분법

특정 지역의 한 도시만 알아보고 투자하는 사람이 있습니다. 그런데 부동산 투자를 할 때는 해당 도시와 영향을 주고받는 주변 지역, 즉 특정한 범위 안의 지역을 뜻하는 '권역'을 기준으로 생각해야 합니다. 이때 권역을 나누는 기준을 알아두면 투자에 큰 도움이 됩니다.

행정구역이 아닌 생활권역이 중요하다

기본적으로는 수도권, 충청권, 경남권과 같은 행정구역 각각이 하나의 권역을 뜻합니다. 그런데 부동산 투자에서는 행정상 권역이 아닌 '생활권'의 범주로 나눈 '생활권역'이 더욱 중요합니다. 예를 들어, 서울 강북구보다는 경기도 성남시의 판교가 '강남 생활권'에 가깝다고 할 수 있습니다. 마찬가지로 천안시의 경우 행정구역상 충청남도로 분류되지만 생활권으로는 수도권에 더 가깝습니다.

하지만 처음에는 생활권역을 구분하기가 쉽지 않습니다. 그럴 때는 우선 행정구역으로 분류한 뒤, 그중 관심 지역을 선정해 생활권역을 조사해보면 됩니다.

행정구역상 구분과 인구 증감 확인

먼저 행정구역부터 알아보겠습니다. 행정구역상 우리나라는 총 6개의 권역으로 구분해볼 수 있습니다. 수도권, 충청권, 강원권, 경북권, 경남권, 호남권으로 구분되죠. 부동산 투자에서 '수요'를 예측하려면 먼저 각 행정권역의 인구 증감을 따져봐야 합니다. 권역별 인구 증감 자료는 국가통계포털(KOSIS)에서 찾아볼 수 있습니다. 다음 표는(200쪽) 6개 행정구역의 전년 대비 인구 증감률을 나타낸 자료입니다.

해당 자료를 보면 대부분은 인구가 감소하는 와중에 경기도와 인천, 세종, 제주는 증가했습니다. 인구가 가장 크게 감소한 지역은 경남, 경북, 호남 순이죠. 거리상 수도권에서 멀어질수록 인구 감소가 일어나고 있음을 알 수 있습니다. 향후 3년간 인구는 지속적으로 줄어들 것이며, 특히 수도권을 제외한 권역들의 감소세가 두드러질 것으로 예상됩니다. 수도권과 가장 가까운 충청권은 상대적으로 안정적인 편입니다. 여기에는 2030년까지 계획 인구 80만 명을 목표로 설계된 세종시의 인구 증가가 한몫하죠. 정리하면 현재 수도권으로 인구가 몰리는 양상이고, 이런 추세는 더욱 가속화될 것으로 보입니다. 즉, 거시적인 관점에서는 수도권과 충청권 투자가 적합하다는 결론이 나옵니다. 또한 인구가 감소하

권역		2019년	전년비	2020년	전년비	2021년	전년비	권역 비중
수도권	서울	9,729,107	-0.7%	9,668,465	-0.62%	9,509,458	-1.64%	50.0%
	경기	13,239,666	1.24%	13,427,014	1.42%	13,565,450	1.03%	
	인천	2,957,026	0.08%	2,942,828	-0.48%	2,948,375	0.19%	
	소계	25,925,799	0.05%	26,038,307	0.43%	26,023,283	-0.06%	
충청권	대전	1,474,870	-1.01%	1,463,882	-075%	1,452,251	-0.79%	10.7%
	세종	340,575	8.42%	355,831	4.48%	371,895	4.51%	
	충북	1,600,007	0.05%	1,600,837	0.05%	1,597,427	-0.21%	
	충남	2,123,709	-0.12%	2,121,029	-0.13%	2,119,257	-0.08%	
	소계	5,539,161	0.17%	5,541,579	0.04%	5,540,830	-0.01%	
강원권	강원	1,541,502	-0.10%	1,542,840	0.09%	1,538,492	-0.28%	3.0%
	소계	1,541,502	-0.10%	1,542,840	0.09%	1,538,492	-0.28%	
경북권	대구	2,438,031	-0.96%	2,418,346	-0.81%	2,385,412	-1.36%	9.8%
	경북	2,665,836	-0.41%	2,639,422	-0.99%	2,626,609	-0.49%	
	소계	5,103,867	-0.68%	5,057,768	-0.90%	5,012,021	-0.90%	
경남권	부산	3,413,841	-0.80%	3,391,946	-0.64%	3,350,380	-1.23%	15.3%
	울산	1,148,019	-0.66%	1,136,017	-1.25%	1,121,592	-1.27%	
	경남	3,362,553	-0.34%	3,340,216	-0.66%	3,314,183	-0.78%	
	소계	7,924,413	-0.59%	7,868,179	-0.71%	7,786,155	-1.04%	
호남권	전북	1,818,917	-0.98%	1,804,104	-0.81%	1,786,855	-0.96%	11.2%
	전남	1,868,745	-0.76%	1,851,549	-0.92%	1,832,803	-1.01%	
	광주	1,456,468	-0.20%	1,450,062	-0.44%	1,441,611	-0.58%	
	제주	670,989	0.57%	674,635	0.54%	676,759	0.31%	
	소계	5,815,119	-0.53%	5,780,350	-0.60%	5,738,028	-0.73%	
총계		51,849,861	0.05%	51,829,023	-0.04%	51,638,809	-0.37%	100%

권역별 인구수 증감

운명을 바꾸는 부동산 투자 수업_ 실전편

는 와중에 국지적으로는 인구가 증가하는 지역도 있고, 심지어 같은 도시에서도 구나 동 단위로 다른 양상을 보이기도 합니다. 이런 세부적인 차이에서 투자의 기회를 찾을 수 있습니다. 다른 곳의 인구가 감소해도 내가 투자한 곳의 인구가 늘어났다면 수요는 오히려 증가했을 가능성이 높으니까요.

세부 지역 인구와 세대수 증감은 '부동산지인(aptgin.com)'에서 간단하게 확인할 수 있습니다. 부동산지인에 접속해 '지인 빅데이터 – 인구/세대수'를 선택 후, 원하는 지역을 설정해 검색하면 인구 및 세대수 증감과 3년간 연령별 인구 증감까지 확인할 수 있습니다. 자세한 설명은 기초편 '부자 아빠를 위한 투자 수업: 투자하기 전에 반드시 확인해야 할 지표들'을 참고하기 바랍니다.

생활권역 및 도시별 인구 증감 확인

같은 생활권역은 도로나 철도로 이어져 있어 서로 출퇴근이 편리하고, 백화점과 쇼핑몰 같은 상업 인프라를 공유합니다. 특히 인근의 주요 도시 또는 업무지구까지의 거리가 중요합니다. 이때는 '물리적 거리'보다는 '시간적 거리'를 따져봐야 하는데, 대중교통이나 자차를 이용해 출퇴근할 수 있어야 같은 생활권역이 됩니다. 이때 대중교통으로 40분 안에 이동 가능한지를 기준으로 삼으면 됩니다. 보통은 출퇴근 가능한 기준을 편도 1시간으로 잡기 때문입니다. 대중교통이라면 역까지의 이동 시간을 고려해 '지하철 40분 내외'로 기준을 세우는 것이 적당합니다.

지하철역	직선거리	지하철 이동 시간
수원역-구로역	약 28.4킬로미터	33분(직행)~41분
광교중앙역-강남역	약 21.9킬로미터	35분
수원역-강남역	약 26.3킬로미터	1시간 2분

　　서울, 그중에서도 양질의 직장이 집중돼 있는 '강남 생활권역'을 보면 물리적 거리와 시간적 거리의 차이가 명확하게 드러납니다. 강남역까지 신분당선으로 35분이면 이동 가능한 광교중앙역 인근은 강남 생활권역이지만, 지하철만 1시간이 넘게 걸리는 수원역 인근은 강남 생활권역으로 보기 어렵습니다. 행정구역상으로는 같은 수원시이고 직선거리가 약 5킬로미터에 불과하지만 생활권역은 전혀 다르죠. 수원역 인근은 오히려 '구로 생활권역'으로 구분할 수 있는데, 수원역에서 구로역까지 직선거리는 28킬로미터가 넘지만 지하철로 환승 없이 40분이면 이동할 수 있기 때문입니다.

　　지방에서는 자차 이동 시간이 30~40분이면 같은 생활권역으로 구분할 수 있습니다. 예를 들어 전라남도의 경우 광주가 가장 큰 도시이므로 광주 생활권역을 생각해볼 수 있습니다. 그런데 광주에서 나주까지는 도로가 잘 닦여 있어 30분 내외로 이동이 가능합니다. 나주에 살면서 광주로 출퇴근하거나, 반대로 광주에 살면서 나주의 한국전력 같은 직장으로 출퇴근하는 사람도 많죠. 그래서 나주는 '광주 생활권역'이라 할 수 있습니다. 반면 같은 전라남도임에도 광주까지 1시간 정도 걸리는 목포는 광주 생활권역에 포함하기 어려울 수 있습니다.

생활권역은 바뀔 수 있다

행정구역과 달리 생활권역은 변동될 수 있습니다. 교통 인프라 개선으로 이동 시간이 단축되면 생활권역도 달라지죠. 앞서 예로 든 수원역은 GTX-C가 계획되어 있는데, 완공되면 삼성역까지 20분대로 이동이 가능해집니다. 강남 접근성이 개선되니 단숨에 강남 생활권역에 포함될 수 있죠.

그럼 왜 생활권역을 따져봐야 할까요? 생활권역의 중심이 되는 도시나 지역의 집값이 오르면 동일 생활권역 내 도시들의 집값도 따라 오를 수 있기 때문입니다. 지금은 강남의 집값이 수원역에 직접적 영향을 준다고 할 수는 없지만, 향후 수원과 강남이 GTX-C로 연결된다면 같은 생활권이 되므로 조금 더 직접적으로 영향을 받을 수 있다는 뜻입니다.

투자하고 싶은 지역이 있다면 먼저 그 지역의 행정구역과 생활권역을 확인한 다음 그 권역의 인구 및 세대수 증감, 수요와 공급의 변화 그리고 권역의 중심 지역이나 인근에 교통 개발 호재가 있는지 등을 따져보세요.

11부

부동산에는 아파트 외의 다양한 투자처가 있습니다.

내가 처한 상황과 자금, 목적에 따라

아파트 외의 투자, 즉 비(非)아파트 투자를

시도해볼 수도 있죠.

11부에서는 이러한 투자에는 무엇이 있는지 알아보고,

투자를 고려하기 전에 꼭 알아야 할 점들을 짚어보겠습니다.

실전 투자자를 위한
비(非)아파트 투자 엿보기

49

비(非)아파트 투자,
나에게 적합한지부터 따져라

앞서 아파트 투자를 집중적으로 다룬 이유가 있습니다. 초보자도 입지를 분석하기 쉽고, 부동산 침체기에도 하락 폭이 작다는 점에서 아파트가 안전한 투자처이기 때문입니다.

그런데 아파트가 아닌 부동산에 투자하는 사람들도 많습니다. 각자가 처한 상황과 자금, 목적에 따라 아파트 투자를 했을 때보다 이득이 있기 때문일 겁니다. 물론 아파트 투자에 비해 상대적으로 어려워 더 많은 준비와 공부가 필요합니다.

나에게 맞는 투자처를 정하자

"아파트, 빌라, 오피스텔, 상가 투자 중 무엇이 제일 좋나요?"

사실 이 질문에 정답은 없습니다. 아파트가 무난하고 안전한 투자처라고 해도 나이와 재산, 성향, 직업, 가족 구성 등에 따라 다른 투자처가 더 나을 수도 있기 때문입니다. 아파트 이외의 투자에도 관심 있는 분들을 위해 투자 종류별 적합한 사람의 유형을 정리해 보았습니다. 물론 이는 이해와 결정을 돕기 위한 참고 자료일 뿐, 실제 선택은 각 투자처의 특징과 장단점을 충분히 고민한 후에 결정해야 합니다.

① 빌라 투자가 적합한 사람

빌라는 투자금이 가장 적게 들어갑니다. 매수 자금은 부족한데 실거주할 집을 사고 싶은 분이라면 적합한 선택지가 될 수 있죠. 비슷한 입지에 같은 평수, 같은 연식이면 빌라는 대략 아파트 가격의 30~50%에 매수가 가능합니다. 만약 실거주가 아니라 투자로 접근한다면 재개발 가능성이 있는 빌라 투자를 고려해볼 수 있습니다. 이미 재개발이 진행되고 있는 곳은 아파트만큼 투자금이 드는 경우가 많으므로, 재개발이 불확실한 초기에 저렴하게 매수하여 장기 보유하는 전략을 활용해야 하죠.

재개발은 시간이 오래 걸리는 투자입니다. 짧게는 10년, 길게는

20년 이상도 걸릴 수 있죠. 그래서 저는 시간 레버리지를 오랫동안 활용할 수 있는 사람이 아니라면 빌라 투자를 권장하지 않습니다. 단기간에 투자 성과를 얻고 싶다면 빌라 이외의 투자를 권합니다.

② 상가 투자가 적합한 사람

상가는 애초에 월세를 받을 목적으로 지어진 건물입니다. 상가 투자는 시세차익을 얻을 목적이 아니라, 매달 들어오는 월세 수입이 필요한 사람에게 적합하죠. 물론 '꼬마빌딩'처럼 건물 전체를 소유하는 경우에는 땅값 상승에 따른 시세차익을 얻을 수도 있지만 엄청난 투자금이 필요합니다. 일반적으로 '상가 투자'라고 하면 건물의 한 개 호실을 매수하는 상가 점포 투자를 말합니다. 매달 고정적인 수익이 필요한 사람, 즉 은퇴나 건강상의 이유로 더 이상 근로소득을 얻기 힘든 분들은 상가 투자를 고려해볼 수 있죠. 만약 안정적인 직장을 다니고 있으며 당장 회사를 그만둘 이유가 없는 상황이라면 임대소득보다 시세차익을 노리는 투자부터 접근하는 편이 낫습니다. 장기적인 투자 성과로 따져보면 더욱 그렇습니다.

그 밖에도 상가 투자를 추천할 만한 사람이 있습니다. 이미 내집 마련이 되어 있고 충분한 주택 투자를 해왔으며, 다주택자에 대한 규제를 피해 추가로 부동산 투자를 하고 싶은 분들입니다. 상가는 주택이 아니기 때문에 주택 규제에서 한결 자유롭고 정책의 영향을 상대적으로 덜 받습니다. 처음에 주택 투자로 성공한 사람들도 최종적으로는 상가, 빌딩 투자에 관심을 갖는 이유가 바로 이 때문입니다.

③ 오피스텔 투자가 적합한 사람

오피스텔 투자는 크게 2가지로 나뉩니다. 매달 월세가 들어오는 임대용 소형 오피스텔 투자, 그리고 아파트의 대체재로서 시세차익을 노려볼 만한 중대형 오피스텔 투자입니다. 전자는 주로 1인 가구 수요가 있는 원룸 형태 오피스텔이고, 후자는 가족 단위에 적합한 아파트 구조 오피스텔인 '아파텔'입니다.

시세차익보다는 매달 고정적인 월세 수익을 목표로 한다는 점에서 임대용 오피스텔은 상가 투자와 공통점이 있습니다. 임대용 오피스텔 투자 역시 곧 고정 수입이 끊길 수 있는 예비 은퇴자들에게 적합하죠. 상가보다 월세 수익률 면에서 다소 떨어질 수 있지만 주거용으로 사용하는 만큼 임차인 구하기가 수월합니다. 그리고 상가와 달리 급한 경우 전세를 놓을 수도 있으니 공실 우려가 상대적으로 적습니다. 주거용 건물이기 때문에 상대적으로 수월하게 가치를 판단할 수 있다는 것도 장점입니다. 물론 상가 투자와 마찬가지로 아직 젊고 한동안 근로소득이 이어질 것이라 기대되는 사람에게 적극적으로 추천하지는 않습니다.

반면 안정적으로 거주할 집도 마련하면서 주택 청약도 포기할 수 없는 사람에게는 아파트의 대체재인 '아파텔' 매수를 추천합니다. 생애 주기로는 20~30대의 미혼이나 아직 어린 미취학 자녀가 있는 시기에 적합하죠. 아파트만큼은 아니지만 어느 정도 시세 상승도 기대해볼 수 있는 투자처입니다.

투자 목표	상품	특징	실거주	적합한 사람

임대
수익
	상가	• 초보자에게 어려움
		• 익숙하지 않은 투자처
		• 많은 투자금이 필요
			대부분
			임대
			목적
				• 고정 수익이 필요한 사람(은퇴
				  자 등)
				• 실거주 집이 있고, 다주택자 규
				  제를 피해 투자하고 싶은 사람

	소형 오피 스텔	(상가 대비) • 공실 우려 낮음 • 투자 난이도 쉬움 • 월세 수익률은 낮음	1인·2인 가구	• 고정 수익이 필요한 사람(은퇴 자 등) • 상가 투자가 두려운 사람

시세
차익
	아파텔	• 아파트의 대체재 역할
		• 청약 도전 가능
		• 임차인 구하기가 상대적으
		  로 쉬움
			가족
			단위
				• 신혼부부거나 아이가 한 명인
				  부부
				• 주택 청약을 준비 중인 사람
				• 적은 돈으로 대도시에 실거주
				  용 집을 구해야 하는 사람

	빌라	• 가장 비선호하는 주택 형태
		• 투자 가치에서 가장 불리
		• 재개발 시 수익 극대화
			가족
			단위
				• 시간 레버리지를 길게 쓸 수 있
				  는 청년층
				• 현실적으로 아파트 실거주가
				  어려운 자산 소유자

50

빌라 투자,
시세 조사가 핵심이다

　빌라 투자의 가장 큰 장점은 적은 돈으로 접근할 수 있다는 것입니다. 5천만 원 안팎의 투자금을 가진 분들이 빌라에 관심 갖는 이유가 여기에 있습니다. 그런데 단순히 저렴하다는 이유만으로 접근하면 낭패를 볼 수 있습니다. 빌라는 기본적인 수요가 낮은 상품이기 때문이죠. 적은 금액이라 해도 수천만 원 이상이 들어가는 만큼, 리스크를 최소화하기 위한 위험 요인을 반드시 점검해야 합니다. 성공적인 빌라 투자를 위해 꼭 알아야 할 것들은 무엇이 있을까요?

빌라 투자를 할 때 반드시 알아야 할 것들

빌라 투자를 할 때 다음의 몇 가지는 반드시 명심해야 합니다. 첫째, 신축 빌라를 분양받는 것은 매우 신중해야 합니다. 아파트와 달리 빌라는 정확한 시세 파악이 어렵습니다. 특히 신축 빌라의 경우 분양업자가 분양가를 높게 책정해도 초보 투자자는 이것이 적당한 가격인지 제대로 분석해내기 어렵습니다. 그래서 분양 후 2년이 지나 매매, 전세가 거래된 사례가 있는 빌라를 매수하는 편이 안전합니다.

둘째, '일단 매수하고 나중에 팔면 되겠지' 하고 안심해서는 안 됩니다. 일반적으로 매도하는 데 시간이 오래 걸리기 때문입니다. 사람들이 선호하는 주거 형태가 아니기 때문에 임차 수요는 있어도 매수 수요는 없을 때가 많습니다. 꼭 팔고 싶어서 '급매'로 내놓아도 매수자가 없어 오랫동안 기다릴 수 있죠. 기본적으로 빌라 투자는 장기적인 관점으로 접근해야 한다는 사실을 잊지 말아야 합니다.

마지막으로 당장 실거주할 집이 필요해도 빌라 투자는 심사숙고해서 결정해야 합니다. 낡은 빌라를 사서 재개발을 기다리며 실거주하겠다는 분들도 있지만, 재개발 가능성이 있는 빌라의 주거 환경이 생각보다 열악한 경우가 많습니다. 게다가 생각처럼 재개발이 빨리 진행되지 않으면 내 자산 대부분이 빌라에 묶이게 됩니다.

여러 번 강조하지만 빌라 투자를 너무 단기적인 시각으로 접근하지 말아야 합니다.

빌라 투자는 '시세 조사'가 핵심이다

아파트가 표준화·규격화된 상품이라면, 빌라는 비표준화·비규격화된 상품이라고 볼 수 있습니다. 아파트는 지난 실거래가와 최근 시세까지 네이버부동산 등의 사이트에서 손쉽게 알아볼 수 있습니다. 빌라는 이를 파악하기가 쉽지 않기 때문에 '시세 조사'가 투자의 성패를 가릅니다. 즉 빌라의 시세 조사는 비표준화·비규격화된 것을 표준화·규격화하는 과정입니다.

빌라의 시세를 알아볼 때는 최대한 비슷한 조건의 물건들을 가능한 한 여러 개 조사해야 합니다. 해당 동네에서 연식과 구조, 평수가 비슷한 빌라를 최소 5채 이상 확보해야 하죠. 만약 내가 관심 있는 물건이 2018년 준공한 방 3개짜리 17평형 빌라라면, 오른쪽 표와 같은 조사를 통해 대략적인 시세를 파악해볼 수 있습니다.

이런 과정을 통해 내가 매수하려는 빌라 시세를 최대한 객관적으로 보고 투자해야 성공 가능성을 높일 수 있습니다. 이때 같은 빌라의 다른 세대, 혹은 근처 빌라 중 연식과 평수, 구조가 비슷한 매물들을 집중적으로 조사합니다.

빌라	해당 매물과의 거리	준공일	평수	방 개수	시세(매매/전세, 단위: 원)	특징
A	5분	2016년	18평	3개	2.1억/1.5억	남향, 역세권
B	3분	2015년	17평	3개	1.7억/1.2억	남서향, 주차 시설 없음
C	2분	2020년	17평	2개	2.4억/1.8억	남향, 필로티 주차장
D	3분	2018년	15평	3개	1.6억/1.2억	남동향, 구조 나쁨
E	1분, 바로 옆	2018년	17평	3개	1.8억/1.3억	가장 유사함
⋮	⋮	⋮	⋮	⋮	⋮	⋮

성공하는 빌라 투자의 3가지 조건

다양한 요소를 따지고 검증해야 빌라 투자에 성공할 수 있지만, 여기서는 초보자가 이해하기 쉽도록 가장 간단한 몇 가지 기준을 소개합니다. 빌라 투자의 성공 확률을 높이는 3가지 방법은 아래와 같습니다.

① 아파트와 인프라를 공유하는 빌라를 매수한다

상대적으로 싼 가격으로 좋은 입지를 매수할 수 있다는 것이 빌라의 장점입니다. 따라서 투자뿐만 아니라 실거주까지 고려하고 있다면 최대한 인프라를 잘 갖춘 지역의 빌라를 매수하는 편이 좋습니다. 아파트가 밀집한 인근 지역의 빌라는 주거 환경을 함께 공유하죠. 대체로 아파트에 비하면 빌라는 가격 상승 폭이 적은 편이지만, 인프라를 잘 갖추고 있는 빌라의 매매가격은 아파트 가격이 상승하면 소폭이라도 따라가는 경향을 보입니다.

② 재개발 가능성이 있는 지역의 빌라를 매수한다

재개발 투자는 '시간 레버리지'를 활용하는 투자입니다. 실거주하기에는 너무 낡고 불편하지만 오랜 시간 기다려서 '낡은 빌라'가 '새 아파트'로 바뀌면 모든 상황이 역전되죠. 이런 빌라를 미리 매수하는 방식이 '재개발 빌라 투자'입니다. 이때는 우선 낡은 빌라들이 밀집해 있는 지역부터 찾아보고, 인근에 새 아파트가 많은 곳을 추려봅니다. 교통 인프라가 좋고 주변에 새 아파트들이 많이 있다면, 낡은 빌라가 모여 있는 지역도 개발 압력을 받을 확률이 높아집니다.

오른쪽 사진은 인천광역시 가정동의 위성사진입니다. 지도에서 붉은색으로 표시된 부분은 빌라 밀집 지역으로 현재 낙후되어 있으나, 입지 자체는 나쁘지 않다는 것을 확인할 수 있습니다. 중앙부엔 가정중앙시장역이 있고, 서쪽에는 7호선 연장 공사가 진행 중입니다. 북쪽으로 대단지 아파트가 들어서 있으며, 상단 봉수초등학교

인근 지역에도 대단지 아파트가 입주할 예정입니다. 재개발을 노리
고 이런 지역의 빌라를 미리 매수해볼 수도 있겠죠. 물론 재개발이
되리라는 확신은 할 수 없으므로 리스크는 존재합니다. 그러나 반
대로 생각하면, 아무것도 정해진 것이 없기 때문에 상대적으로 작
은 투자금으로 매수할 수 있기도 합니다. 재개발 투자는 절대 만만

하지 않지만 제대로 공부해볼 만한 투자라는 점은 틀림없습니다.

③ 시세보다 싸게 사야 한다

일단 일반 매매로 빌라를 매수하면 손해를 볼 가능성이 높습니다. 매매가격이 잘 오르지 않는데 애초에 시세대로 사면 중개수수료, 세금 등으로 시작부터 손해 보기 때문입니다. 따라서 '급매'로 사거나 '경매' 등을 통해 시세보다 저렴하게 매수한다면 조금 더 리스크를 줄일 수 있습니다. 싸게 사서 제값에만 팔아도 이익이 발생하니까요. 물론 이때도 시세를 정확히 알아내는 능력이 핵심입니다.

51

재건축·재개발,
낡은 건물을 사면 돈을 벌까

    오랜 시간을 기다리는 대가로 큰 수익을 낼 수 있는 대표적인
분야가 바로 재건축·재개발 투자입니다. 하지만 위험 요소가 많을
뿐만 아니라 매수 전에 공부를 많이 해야 하는 복잡한 투자이기도
합니다. 이번 장에서는 재건축·재개발의 기초적인 개념을 알아보
고, 투자를 고려하고 있다면 꼭 알아야 할 기본 사항들을 짚어보겠
습니다.

재건축과 재개발, 무엇이 같고 다를까

재건축·재개발은 '노후화된 건물을 부수고 새 건물을 짓는 사업'입니다. 모두 주거 환경을 개선하고 주택 공급을 늘리기 위한 사업이라는 데 공통점이 있죠. 그러나 재건축이 '30년 이상의 노후 아파트'를 대상으로 하는 반면 재개발은 '낡은 단독주택, 빌라 등이 밀집된 지역'이 대상이라는 점에서 차이가 있습니다. 두 방식 모두 아파트를 건설하게 되는데, 이것이 가장 사업성이 좋기 때문입니다.

구분		재건축	재개발
개념		노후 아파트 → 신축 아파트	노후 주택 밀집 지역 → 신축 아파트
차이	대상	정비기반시설은 양호하나 30년 이상 된 아파트	상하수도, 도로 등 기반시설이 미비한 낡은 주택 및 상가 등이 밀집된 지역
	기타	• 안전 진단 필수 • 초과이익환수제📍 • 민간사업의 성격 • 토지, 건물 모두 소유해야 참여 가능	• 공공사업의 성격 • 토지 혹은 건물만 소유해도 가능하며 무허가 건축물도 조건 충족 시 가능

운명을 바꾸는 부동산 투자 수업_ 실전편

재건축·재개발의 5단계

재건축·재개발은 순탄하게 진행되어도 최소한 10년은 걸린다고 할 정도로 여러 단계를 거칩니다. 전 과정을 이해하기 쉽도록 단순화하면 5단계로 구분할 수 있습니다.

초기 단계에서 정비구역으로 지정된 이후에 소유자들은 조합을 설립합니다. 소유자들이 모여 일종의 회사를 세우는 과정이죠. 조합이 설립되면 조합장이 곧 대표이사의 역할을 맡아 각종 절차를 진행하게 됩니다. 조합 설립 여부는 소유자의 동의율이 관건인데, 재개발의 경우 토지 등 소유자(정비구역 안에 소재한 토지 또는 건축물의 소유자 또는 창고 등을 소유한 지상권자)의 4분의 3 이상, 토지 면적 2분의 1 이상이 동의해야 하며, 재건축은 각 동별 소유자의 2분의 1, 전체 소유자의 4분의 3 및 토지 면적의 4분의 3 이상의 동의가 필요합니다.

조합 설립 후엔 시공사를 선정하고 각종 심의를 거치는 과정이 이어집니다. 몇 년이 지나 지자체의 최종 승인까지 받으면 본격적으로 이주 및 건물 철거가 이뤄지는데, 아파트 준공까지 2~3년간의 공사 기간이 소요됩니다. 이후 새 아파트에 입주하고 조합 청산을 하면 모든 과정이 끝납니다.

단계	기간	세부 사항
1단계: 정비구역 지정	2~3년	• 정비 기본 계획 수립 • 안전 진단(재건축) • 정비구역 지정 • 조합 설립 추진위원회 구성
2단계: 조합설립인가	1~2년	• 조합설립인가 • 시공사 선정
3단계: 사업시행인가	1~2년	• 건축 심의 • 사업시행인가 • 종전 자산 감정평가 • 조합원 분양
4단계: 관리처분인가	1~2년	• 이주 및 철거
5단계: 일반 분양 및 조합 청산	2~3년	• 일반 분양 • 준공 • 조합 청산

재건축·재개발 5단계 과정

재건축·재개발 투자에서 주의해야 할 3가지

재건축·재개발 투자는 여러 단계를 거치는 장기적인 사업이므로 일반 주택 투자와는 차이가 있습니다. 재건축·재개발 투자를 고려한다면 최소한 다음의 사항은 제대로 알고 접근해야 합니다.

① 예상보다 훨씬 오래 걸릴 수 있다

재건축·재개발 투자는 사업 초기 단계일수록 투자금이 적게 들어가지만, 기약 없는 기다림을 감당해야 합니다. 정비구역 지정 이후에도 넘어야 할 산이 많아 사업 진행에 속도가 잘 나지 않습니다. 조합 설립 단계에서부터 동의율이 낮아 지지부진할 때도 있죠. 왜 이런 일이 발생할까요? 그것은 소유주 각

📍권리가액
감정평가액에 비례율을 곱하여 산출된 금액. 비례율은 수익률 계산의 기준이 되며 '개발이익률'이라고 한다. 이렇게 산출된 권리가액을 기준으로 분담금을 계산한다.

자의 상황과 이해관계가 다르기 때문입니다. 집을 부수고 새로 짓는 과정에는 많은 돈이 필요합니다. 이때 조합원이 소유한 자산의 권리가액📍을 제외하고 내야 하는 돈을 '분담금'이라고 하는데, 일반분양으로 공사비를 어느 정도 충당한다고 하더라도 기존 소유주들이 꽤 많은 돈을 내야 하는 경우가 생깁니다.

재건축·재개발을 하면 새 집을 거저 얻을 수 있다고 오해할 수도 있으나 이는 사실이 아닙니다. 예를 들어, 재건축·재개발을 통해 200세대가 살던 곳에 300세대의 아파트가 들어선다고 하면, 200명이 소유했던 땅을 300명이 나눠 가지게 되니 그만큼 지분을 양보하는 셈입니다. 한마디로 재건축·재개발을 하기 위해 돈 대신 땅을 주는 것이라고 이해하면 됩니다. 납부한 땅 지분으로도 공사비가 부족하다면 '분담금'을 추가로 내야 하죠. 이 과정에서 누군가는 더 많은 권리를 요구하기도 하고, 분담금에 대한 분쟁도 생기면서 시간이 흘러갑니다. 정책이나 규제가 없더라도 소유자들의 합의를 모으는 일 자체가 넘어야 할 큰 산입니다.

② 수익을 잘 따져봐야 한다

재건축·재개발은 미래를 예측해야 하는 만큼 리스크가 큰 투자입니다. 투자에 성공해 큰 수익을 얻을 때도 많지만, 그다지 성과가 없거나 오히려 손해를 볼 때도 있습니다. 따라서 수익성을 잘 따져보고 투자 여부를 결정해야 합니다. 수익성을 계산하는 데 중요한 5가지 포인트는 다음과 같습니다.

첫째, 사업 기간 예측이 중요합니다. 내 자금이 오래 묶여 있을수록 수익성이 떨어집니다. 또한 사업이 길어지면 분담금 외에 '추가 분담금'이 발생하기도 합니다. 재건축 이야기가 나올 때마다 언급되는 곳으로 서울 강남구의 은마아파트를 꼽을 수 있습니다. 준공한 지 40여 년이 된 오래된 아파트지만 아직 조합 설립도 못한 상태죠. 이렇듯 재건축·재개발 사업을 진행할 때의 돌발 변수는 매우 많습니다. 따라서 사전에 조합 내부의 분쟁 요소는 없는지, 또 다른 사업 지연 요소에는 무엇이 있는지 철저히 조사해야 합니다.

둘째, 용적률과 대지 지분을 잘 파악해야 합니다. 용적률이란 '대지 면적에 대한 건축물 연면적(한 건축물의 각 층 바닥 면적의 합)의 비율'을 뜻하는 말입니다. 대지 지분은 공동주택 전체의 대지 면적을 가구 수로 나눈 면적을 말합니다. 그림으로 표현하면 오른쪽과 같습니다.

참고로 재건축·재개발 투자를 할 때 대지 지분과 용적률을 구분하는 것은 크게 의미가 없습니다. 현재 건물의 용적률이 낮다는

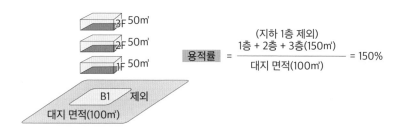

용적률

$$용적률 = \frac{(지하\ 1층\ 제외)\ 1층 + 2층 + 3층(150㎡)}{대지\ 면적(100㎡)} = 150\%$$

말은 곧 대지 지분이 많다는 뜻과도 같으니까요. 두 개념을 세부적으로 파고들면 복잡하니, '현재 건물의 용적률이 낮은', 즉 '대지 지분이 많은' 건물이 투자 가치가 좀 더 높다는 점을 기억해두면 됩니다. 반대로 현재 건물의 용적률이 높으면 재개발·재건축을 통해 늘어나는 세대수가 적기 때문에 일반 분양을 통한 수익이 적어지는데, 이는 다시 말해 기존 조합원들의 분담금이 늘어난다는 의미입니다. 이 경우 조합원들의 동의를 모으기가 더욱 어렵습니다. 용적률이 높은 곳은 '사업성이 나쁘다'라는 말이 나오는 이유입니다.

셋째, 비례율♥을 확인해야 합니다. 비례율은 다른 말로 '개발이익률'이라고도 합니다. 이는 사업성을 나타내는 지표로, 일종의 수익성 지표입니다. 비례율이

♥ **비례율**
재개발 사업이 끝난 후, 해당 조합이 벌어들이게 될 전체 수입에서 사업 진행 비용을 뺀 돈을 해당 사업 구역 내의 토지 및 건물 감정평가액으로 나눈 금액.

100%를 넘으면 수익성이 높다는 뜻이고 반대로 100% 이하라면 수익성이 낮다는 의미입니다. 딱 100%라면 재건축·재개발을 통해 추가로 발생하는 이익이 없다고 생각하면 됩니다. 이때 조합원은 '권리가액', 즉 감정평가액에 비례율을 곱한 금액으로 보상받게 되므로 재건축·재개발 투자에서는 비례율을 잘 따져봐야 합니다. 비례율이 높은 곳일수록 내가 내는 '분담금'이 적어진다고 이해하면 됩니다.

넷째, 재건축은 재개발에는 없는 '초과이익환수제'가 있습니다. 바로 이 규제가 거대한 벽처럼 사업을 가로막고 있죠. 간단히 설명하면, 재건축을 통해 조합원들이 얻게 된 '이익'이 일정 수준을 '초과'하면 세금으로 '환수'해가는 제도입니다. 재건축 초과이익환수제가 적용되는 단지는 재건축 후 시세 상승분의 최대 50%까지 세금으로 내야 합니다. 이러한 이유로 재건축을 반대하는 소유주가 많아서 사업이 중단된 곳들도 있습니다. 따라서 재건축 아파트에 투자하고 싶다면 재건축 초과이익환수제가 얼마나 영향을 줄 것인지 사전에 꼭 체크해봐야 합니다.

다섯째, '어느 단계에서' 투자를 시작하는지에 따라 투자금이 달라집니다. 초기 단계일수록 투자금이 적게 들지만, 그만큼 불확실한 기간을 견뎌야 합니다. 즉 각 단계를 통과할 때마다 투자금은 커지는 반면, 수익을 낼 때까지 기다리는 기간은 짧아진다는 뜻입니다. 만약 관리처분인가 이후에 진입한다면 상대적으로 많은 투자금이 들고 기대 수익도 적지만, 초기 단계에 투자할 때보다 훨씬 짧은 기간을 기다리면 되겠죠. 결국 내가 어느 단계에서 투자할 것인지에 대해 고민이 필요합니다.

③ '현금 청산'을 주의하라

재건축·재개발 대상이 되는 지역에 땅이나 건물을 가졌다고 해서 모든 사람이 조합원이 되는 것은 아닙니다. 조합원 자격을 얻지 못하고 현금 청산을 당하는 일도 있습니다. 현금 청산이란 조합원의 조건을 충족하지 못한 사람 또는 조합원 분양을 신청하지 않은 사람에게 '현금'을 주고 조합이 소유권을 가져가는 행위를 말합니다. 이때 당시의 감정가액을 기준으로 보상하며 추후 재개발·재건축에 따른 이익이 고려되지 않습니다. 현금 청산을 당하면 대부분 기대 이하의 보상금을 받습니다. 생각보다 현금 청산 대상자가 될 때가 많고, 조합원 지위가 승계되지 않는 경우도 있으니, 매수 전에 반드시 확인합니다.

재건축·재개발 투자는 매우 복잡하여 초보 투자자가 쉽게 접근하기는 어렵습니다. '낡은 건물을 매수하면 이득을 볼 수 있다'라는 단순한 생각으로 투자했다가는 오히려 손해를 볼 수도 있습니다. 반드시 투자의 전 과정을 이해하고 세부 사항까지 모두 확인해야 한다는 사실을 꼭 기억하세요.

52

아파트를 살 수 없다면 '아파텔'을 매수해도 될까

'주택 투자'를 한다고 하면 보통 아파트, 빌라, 오피스텔을 꼽습니다. 이 중 아파트가 최우선으로 꼽히죠. 그런데 레버리지를 최대한 활용해도 아파트 투자가 힘들 때는 어떻게 해야 할까요? 주거용 오피스텔 중 아파트와 구조가 흡사한 '아파텔'이 대안이 될 수 있습니다. 물론 모든 아파텔이 좋은 투자처인 것은 아니므로, 오를 만한 곳을 찾아내는 안목을 기르기 위해 노력해야 합니다.

운명을 바꾸는 부동산 투자 수업_실전편

아파텔 투자, 정말 해도 될까

부동산 투자에 성공하려면 기본적으로 수요가 탄탄한 곳을 매수해야 합니다. 그런데 소형 오피스텔은 1~2인 가구를 대상으로 하며 세입자의 이동이 잦아 계속해서 수요가 쌓이기는 어렵습니다. 반면, 아파트와 흡사한 구조로 가족이 거주할 수 있는 중대형 오피스텔, 즉 아파텔은 어느 정도 수요가 쌓일 수 있습니다. 이때 아파텔은 방 2개 이상에 거실이 있는 아파트 구조를 가진 오피스텔을 말합니다.

사실 원래부터 아파텔이 주목을 받았던 것은 아닙니다. 최근 몇년간 아파트값이 폭등하면서, 직장 등의 문제로 서울에 실거주해야 하지만 도저히 아파트를 살 수 없게 된 사람들에게 대안으로서 차츰 인기를 얻게 되었죠. 아파텔은 일반적으로 동일한 지역에서 비슷한 연식과 평수일 때, 아파트의 60~70% 가격으로 매수할 수 있습니다. 아파트에 비하면 훨씬 저렴하니 실거주나 투자자 입장에서 자금 부담이 덜합니다. 또한 익숙한 아파트형 구조를 취한 데다 주변 아파트와 인프라를 함께 공유하기까지 하니, 아파텔이 사람들의 주목을 받게 된 것은 어찌 보면 당연합니다. 이해를 돕기 위해 서울시 송파구 문정동에 위치한 송파파크하비오푸르지오를 예로 들어 보겠습니다.

　네이버 위성지도를 통해 확인하니, 붉은색으로 표시된 송파파크
하비오푸르지오 주위에 대단지 아파트가 모여 있음을 확인할 수 있
습니다. 최근 몇 년간 인근의 아파트 시세가 가파르게 올랐는데, 맞
은편에 위치한 송파파인타운의 경우 30평대의 호가가 2022년 2월
기준으로 15억 원에 달합니다. 송파파크하비오푸르지오 주변을 보
면 서울동부지방검찰청과 서울동부지방법원 등 탄탄한 직장 수요
가 있고, 8호선 장지역 역세권이라 교통도 편리하다는 사실을 알
수 있습니다. 이곳의 시세 변화를 한번 살펴볼까요?

　해당 오피스텔 12평형의 실거래가를 살펴보면, 2020년 10월에
1억 7,800만 원에서 2021년 11월 1억 8,700만 원으로 13개월간 약

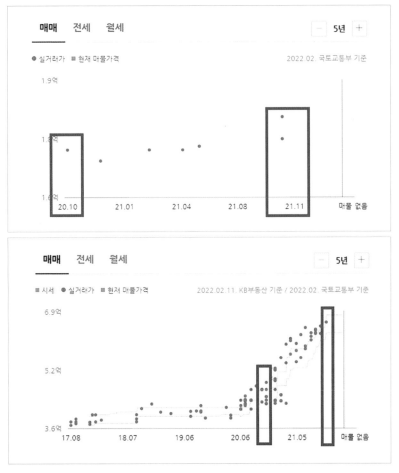

송파파크하비오푸르지오 12평형(위)과 28평형(아래)의 실거래 가격   출처: 네이버부동산

900만 원 상승했습니다. 상승률로 따지면 5% 정도로 적은 편입니다. 반면 28평형은 같은 기간에 최고 실거래가 기준으로 4억 7천만

원에서 6억 6천만 원으로 1억 9천만 원이나 상승했습니다. 상승률로 따지면 약 40%에 달합니다.

송파파크하비오푸르지오 사례를 통해 오피스텔 투자의 전반적인 주의점을 다시 한번 정리하겠습니다. 첫째, 소형 오피스텔보다 '아파텔'이라 불리는 중대형 오피스텔의 수요가 훨씬 많고, 가격 상승 폭도 더욱 큽니다. 둘째, 주변 아파트와 교통, 상권, 학군 등의 주거 인프라를 공유하는 아파텔은 아파트가 상승할 때 같이 시세가 상승함을 알 수 있습니다. 셋째, 그러면서도 아파트 대비 적은 투자금으로 매수 가능합니다. 아파트 투자가 어렵다면 대체 투자처로 아파텔을 고려해볼 수 있습니다. 물론 아파텔에 투자할 때도 충분히 공부하고 많이 조사하여 오를 만한 곳을 찾는 것이 중요합니다.

성공하는 아파텔 투자를 위한 3가지 조건

'아파텔'이라는 용어에서부터 알 수 있듯 아파텔은 태생적으로 아파트와 유사할 수밖에 없습니다. 그 가치를 평가할 때도 아파트와 떼어놓고 생각할 수 없죠. 그렇다면 가치가 상승하는 아파텔은 어떻게 찾을 수 있을까요?

① 인근에 대규모 아파트 단지들이 있다

여러 번 강조했듯 아파텔은 아파트의 대안으로서 기능합니다. 그 말은 아파트를 선택하지 못하는 분들이 차선책으로 아파텔을 선택한다는 뜻입니다. 당연히 '아파트가 있을 만한 곳'에 있는 아파텔이어야 대체재로서 가치가 높습니다. 특히 대단지 아파트가 많이 모여 있는 곳의 아파텔이라면, 아파트에 대한 넘치는 수요 중 일부가 아파텔로 넘어올 수 있죠.

② 아파트와 인프라를 공유한다

단순히 아파트가 많은 곳의 아파텔이라고 해서 무조건 시세가 연동하여 함께 상승하지는 않습니다. 기본적인 주거 인프라가 좋은 지역이어야 합니다. 즉 살기 좋은 곳에 있어야 하죠. 교통은 물론이고 학군과 상업 및 문화 시설 등의 인프라를 최대한 함께 누릴수록 좋습니다.

③ 인근 아파트의 가격이 급격히 오르고 있다

위의 조건들을 모두 갖추었다고 하더라도 아파트 가격이 떨어지는데 아파텔 가격만 오르는 경우는 없습니다. 기본적으로 우리나라에서는 아파트가 1순위이고, 아파텔은 차선책이라는 점을 생각해보면 당연합니다. 아파트의 가격이 오르는 추세여야만 아파텔 투자를 고려할 수 있습니다.

서울 아파텔만 노릴 필요는 없다

'성공하는 아파텔 투자의 3가지 조건'이 반드시 서울에만 적용
되는 것은 아닙니다. 최근 몇 년간 아파텔 가격이 크게 상승한 경기
도 고양시 삼송동 인근을 한번 살펴보겠습니다. 위 사진은 네이버
부동산에서 검색한 삼송역 인근의 위성사진입니다.

붉은색으로 표시된 곳이 총 10동, 1,424세대의 대단지에 해당하
는 e편한세상시티삼송3차 오피스텔입니다. 이곳은 앞서 언급한 아
파텔의 조건을 충족하고 있습니다. 첫째, 주위에 삼송호반베르디
움, 삼송아이파크 등 대단지 아파트가 대규모로 모여 있습니다. 둘
째, 아파트의 여러 인프라를 공유하고 있습니다. 초등학교와 3호선

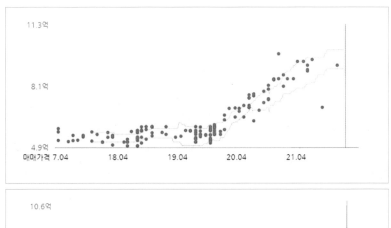

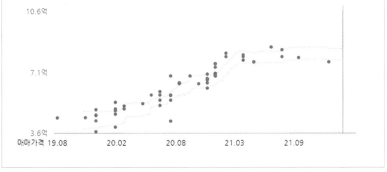

삼송호반베르디움 22단지 아파트(위)와 근처 아파텔 e편한세상시티삼송3차(아래)의 실거래 가격

출처: 네이버부동산

지하철 삼송역은 물론이고 쇼핑하기에 좋은 스타필드 고양점과 대형 마트가 가까이에 위치해 있죠. 셋째, 최근 인근 아파트 가격이 가파르게 올랐음을 확인할 수 있습니다.

네이버부동산을 통해 근처 삼송호반베르디움 22단지 아파트 112제곱미터(약 33평형)의 가격을 보면 2020년 3월경부터 가격이

네이버 로드뷰로 확인한 대단지 오피스텔 광교힐스테이트레이크(위)와 e편한세상시티 3차(아래)

가파르게 상승했음을 알 수 있습니다. 그렇다면 그 시기, 인접한 아파텔인 e편한세상시티삼송3차의 가격은 어떻게 바뀌었을까요? 그 아래 표를 통해 전용면적 82.76제곱미터(약 25평형)의 경우 비슷한 시기에 가격이 상승했음을 확인할 수 있죠. 인접한 아파트의 가격이 먼저 오르고, 그 수요 중 일부가 아파텔로 몰리면서 아파텔 가격

운명을 바꾸는 부동산 투자 수업_ 실전편

도 따라 오른 것입니다.

물론 모든 아파텔의 가격이 오르는 것은 아니고, 모든 시기에 아파텔의 가격이 오르는 것 또한 아닙니다. 그러나 앞서 말한 조건과 시기를 잘 따져서 투자한다면 아파텔을 통한 시세차익을 얻을 수도 있습니다. 특히 인프라를 갖춘 곳에 집을 매수하고 싶지만 아파트에 투자할 여력이 없다면, 아파텔도 충분한 대안이 될 수 있습니다.

53

상가 투자 하려면
이것만은 반드시 기억해라

　지금까지 설명한 아파트, 빌라, 아파텔 등은 모두 주거 수요를 노린 투자입니다. 그런데 부동산 투자엔 또 다른 분야가 있죠. 바로 임대 수익을 노리는 상업용 부동산 투자입니다. 49장에서 언급했듯이 다주택자 규제를 피해 추가 투자를 하려는 사람, 정기적인 월세 수익이 필요한 사람이라면 상가 점포 혹은 빌딩 등의 투자를 고려해볼 만합니다. 그럼 상가 투자의 성패를 가르는 요소에는 어떤 것들이 있을까요?

생소한 분야에
무작정 뛰어드는 투자는 위험하다

상가 투자를 결정하기 전에 먼저 알아두어야 할 점이 있습니다. 투자를 막 시작한 초보 투자자가 상가 투자부터 시작하는 것은 위험하다는 사실입니다. 아파트와 같은 주택 투자를 한 다음 상가 투자로 넘어오는 것이 좋습니다. 대부분의 사람들이 오랜 시간 주택에서 살아온 만큼 집에 대해서는 준전문가라 할 수 있지만, 장사를 직접 해보거나 상가를 빌려본 경험이 있는 사람은 상대적으로 적습니다. 경험의 측면에서만 보더라도 상가는 주택에 비해 어려운 투자처일 수밖에 없죠.

또한 상권을 잘못 분석하여 오랜 시간 임차인을 들이지 못하면 큰 손해를 볼 수 있습니다. 월세를 낮춰 임차인을 구하는 것도 쉽지 않은 결정입니다. 상가는 월세 수익에 따라 매매가도 같이 정해지기 때문에 월세를 무작정 낮추기 어렵습니다. 게다가 한번 낮춘 월세는 2018년 개정된 상가임대차보호법에 따라 10년간 상승 폭이 제한되기 때문에 차라리 공실로 두더라도 싼값에 임대를 놓지는 못하는 일도 생깁니다.

성공률을 높이는 상가 투자 노하우

여러 어려움에도 불구하고 상가 투자를 최우선으로 고려하는 분들이 있습니다. 그렇다면 최대한 리스크를 줄이는 것이 관건이겠죠. 지금부터 상가 투자를 시도하기 전에 미리 알아야 할 최소한의 사항을 정리해보겠습니다.

① 임차인 입장에서 생각하라

상가만 매수하면 매달 월세가 알아서 들어올 것처럼 생각하는 사람들이 의외로 많습니다. '10년 임대 보장' 같은 광고 문구를 철석같이 믿기도 하죠. 그런데 생각보다 월세 받기가 쉽지 않습니다. 결국 임차인이 내 상가에서 충분히 돈을 벌 수 있어야 월세를 받을 수 있습니다. 임차인이 내 상가에서 돈을 벌지 못하면 월세도 감당하지 못할 테고, 결국 공실이 발생할 수밖에 없죠. 즉, 투자자라면 상가를 매수하기 전에 입장을 바꿔 생각해봐야 합니다. '여기서 영업하면 임차인이 돈을 잘 벌 수 있을까?', '어떤 업종을 해야 돈을 벌 수 있을까?' 등에 대해 고민해보는 거죠. 임차인의 입장에서 생각해보는 것이 상가 투자의 기본입니다.

② '매출의 10%'를 기억하라

상가 투자를 할 때는 내가 얼마를 월세로 받을지 목표 수익을 정해야 하는데, 이 또한 임차인 입장에서 생각해보아야 합니다. 업종에 따라 다르겠지만 보통 매출액의 10% 이상이 임대료로 지불됩니다. 임차인 입장에서는 그 임대료를 지불할 수 있을 만큼의 매출을 내야 월세를 낼 수 있겠죠. 그럼 역으로 매출액이 월세의 10배 정도 나올 만한 업종이 무엇인지 따져보는 겁니다. 월세로 100만 원을 받고 싶다면 적어도 그 상가에서 월 매출 1천만 원이 나올 수 있는지, 그럴 만한 업종은 무엇이 있는지 알아봐야 한다는 말입니다.

세대수가 많기로 유명한 송파구의 한 아파트를 살펴봅시다. 단지 내에 있는 실평수 7평짜리 상가의 월세 호가는 2022년 2월 기준 보증금 5천만 원/월세 350만 원에 달합니다. 임차인이 이곳에서 월세를 내려면 월 매출 3,500만 원 정도는 나와야 한다고 가정해봅시다. 일반적인 30평 아파트의 안방보다 조금 큰 7평 남짓한 작은 공간에서 월 3,500만 원의 매출을 올릴 만한 업종이 많지는 않을 겁니다. 30일 내내 일한다고 가정해도 매일 120만원, 10시간 기준 시간당 12만 원을 벌어야 합니다. 테이블 두세 개 놓을 수 있는 공간에서 10분에 2만 원씩 한 달 내내 팔아야 한다는 의미입니다.

좀 더 명확하게 조사하기 위해 내가 매수하려는 상가 주변에 실제 영업하는 업종의 일 매출을 계산해보는 것도 좋은 방법입니다. 며칠 시간을 들여 실제 가게에서 시간당 얼마를 벌고 있는지 확인하는 것이죠.

위와 같은 조사를 통해 내가 원하는 월세를 감당할 업종으로 무

상가명	면적	배후 인구수	실투자금	목표 월세	필요 일 매출	가능 업종	경쟁 업체
A							
B							
C							
⋮	⋮	⋮	⋮	⋮	⋮	⋮	⋮

엇이 있을지, 월세가 너무 높은 것은 아닌지 대략적인 감을 잡을 수 있습니다. 그다음에는 이를 바탕으로 내가 투자하고자 하는 상가에 대한 정보를 정리하면 됩니다.

만약 내가 매수하려는 상가에서 그 정도 매출을 올릴 만한 업종이 떠오르지 않거나, 해당 업종의 경쟁 업체가 이미 인근에서 영업을 하고 있다면 원하는 월세를 받기가 어려울 수도 있습니다.

③ 반드시 현장에 가봐야 한다

주택 투자와 마찬가지로 상가 투자를 할 때도 현장에 여러 번 가야합니다. 투자에 영향을 주는 중요한 정보는 현장에 가야 얻을 수 있습니다. 현장에서 체크해야 하는 부분은 다음과 같습니다.

첫째, '주 동선', 즉 사람들이 주로 다니는 동선을 파악하는 것입니다. 최근 며칠간 외출했던 기억을 떠올려봅시다. 아마 외출할 때도, 집에 돌아올 때도 거의 같은 길로 다녔을 겁니다. 사람들은 대부분 주로 다니는 길을 잘 벗어나지 않습니다. 특히 아파트 단지에는 많은 사람이 익숙하게 다니는 '주 동선'이 따로 있습니다. 같은 아파트 단지를 배후에 둔 상가라 해도 주 동선에 해당되는 곳과 아닌 상가는 매출에 큰 차이가 있을 수밖에 없습니다.

둘째, '공실'을 체크해야 합니다. 내가 관심을 둔 건물은 물론이고 인근 상가도 돌아다니면서 비어 있는 곳이 얼마나 되는지 확인해보는 것이 좋습니다. 공실이 많으면 그만큼 그 지역 상가의 임대료가 과대 포장되어 있을 가능성이 큽니다. 내가 원하는 만큼의 월세를 받기가 힘들다는 의미죠.

셋째, '경쟁 업체 수'를 따져봐야 합니다. 내 목표 월세를 감당할 만한 업종을 대략적으로 예측해본 후, 경쟁 업체가 인근에 얼마나 있는지, 또 영업이 잘되고 있는지 확인합니다.

넷째, 상가 주변의 '분위기'를 느껴봐야 합니다. 내가 임차인이라면 정말 여기에서 영업을 하고 싶은지 등 말로 설명하기 힘든 느낌을 확인하는 것이죠.

④ 최소한 3~4년 정도 상권이 형성된 곳을 노려라

대단지 신축 아파트의 상가를 분양받는 것은 어떨까요? 새것을 매수하는 만큼 좋은 선택으로 보일 수 있지만, 신축 상가는 변수가 많습니다. 먼저 상가 분양가가 높게 책정되어 있을 가능성이 있습니다. 또한 상권이 아직 자리 잡기 전이라 추후 어떤 업종이 입주할지 예측하기 어렵고, 사람들의 주 동선이 어디일지 미리 예측하기 힘듭니다. 이미 투자했는데 예측이 틀어지면 상가는 해결책을 찾기가 힘듭니다. 이런 상황을 피하려면 배후 세대 입주가 어느 정도 마무리되고, 이들의 주 동선이 파악된 이후에 상가를 매수하는 편이 안전합니다. 입주가 끝나고 3~4년 정도 지난 곳이라면 어느 정도 시세와 주 동선이 정해지기 마련입니다.

⑤ 주택의 호재가 상가에 무조건 좋은 것은 아니다

내가 매수한 상가 인근에 지하철역이 들어선다고 가정해봅시다. 주택 투자라면 무조건 호재로 작용하겠지만 상가는 그렇지 않을 수도 있습니다. 지하철역이 생기면서 사람들의 주 동선이 완전히 바뀔 수도 있기 때문입니다. 지하철 입구로 가는 최단 거리가 주 동선으로 바뀌기도 합니다. 장사가 잘되던 상가인데 갑자기 사람이 뜸해지고 매출이 하락하기도 하죠. 이렇듯 상가 투자를 할 때는 주택과 다른 관점에서 호재를 바라볼 수 있어야 합니다. 무엇보다 '임차인이 돈을 잘 벌 수 있을까'를 중점적으로 생각해야 한다는 사실을 잊지 마세요.

운명을 바꾸는

부동산
투자 수업

성공하는 상가 투자

　　초보 투자자일수록 주택 투자가 안전하고 유리하지만, 상황에 따라 상가 투자가 더 적합한 사람도 있습니다. 제대로 할 수만 있다면 상가 투자 또한 충분히 매력적이죠. 이번에는 제가 투자한 상가 중 하나를 예로 들어 투자 프로세스를 설명해 드리려고 합니다.

♀ 공매
공공기관이 주체가 되어 실시하는 경매. 세금 체납 등 주로 국가기관과 개인 간의 채무 관계에서 비롯하며, 주체가 다를 뿐 행위는 경매와 동일하다고 이해해도 무방하다.

　　저는 2017년 공매♀를 통해 인천의 한 상가에 투자했습니다. 인천 남동구 구월동 정각사거리에 있는 상가 3층의 60평대 점포에 투자했는데, 이곳의 위치를 보자마자 좋은 투자처가 될 수 있겠다는 판단이 들었습니다.

정각사거리 상권은 대단지 아파트로 둘러싸여 있는데, 사거리 주변에만 상가가 모여 있을 뿐 대로 중간부터는 상가가 없습니다. 이런 경우 아파트 거주자들이 상업시설을 이용하기 위해 자연스레 사거리로 몰릴 수밖에 없습니다. 즉, 해당 상가는 배후 인구가 충분한 입지에 있으면서 유동인구의 주 동선에 위치한 셈입니다. 이렇듯 좋은 입지에 위치했다는 사실을 확인한 뒤 본격적인 현황 조사를 시작했습니다.

① 배후 인구, 주 동선 조사

먼저 시세 조사에 앞서 인터넷 검색과 지도를 통해 대략적인 상권을 분석했습니다.

지도를 통해 확인한 정각사거리의 입지는 매우 양호했습니다. 석천

사거리역과 모래내시장역이 바로 근처에 있으며, 주변에 초등학교와 중학교가 많았죠. 무엇보다도 구월힐스테이트1단지(5,076세대)와 롯데캐슬골드2단지(3,384세대), 간석래미안자이아파트(2,432세대)라는, 총 1만 세대가 넘는 아파트 단지들에 둘러싸여 있다는 점이 매력적이었습니다. 임장을 통해 유동인구를 확인하니, 앞서 말했듯 대로변에는 상가가 부족한 상황이라 주민들이 정각사거리 쪽으로 나올 수밖에 없어 낮에도 사람이 많다는 사실을 확인할 수 있었습니다. 정각초등학교와 정각중학교에 다니는 학생과 학부모들, 그리고 지하철을 이용하려고 상가를 지나치는 사람도 많았습니다.

② 업종 조사

이제 어떤 업종이 들어와야 할지, 그 업종이 월세를 감당할 수 있을지를 따져볼 차례입니다. 당시 임대 시세를 알아보니 60평대 상가는 보증금이 5천만 원에 월세가 275만 원 안팎이었습니다. 이 정도 월세를 감당할 수 있는 업종이 무엇인지, 그 업종이 들어섰을 때 영업이 잘될 것인지를 파악해봐야겠죠. 업종에 따라 다르지만 월 매출의 10% 정도를 임대료로 낸다고 가정하고 상상해보는 겁니다. 즉, 월세 275만 원을 받고 싶다면 그 10배인 2,750만 원 수준의 월 매출이 나올 업종이 무엇인지를 고민해봐야 합니다.

저는 배후 인구의 연령대와 수요를 감안했을 때 병원과 학원이 먼저 떠올랐습니다. 정각사거리에는 정각초등학교와 정각중학교가 인접해 있고, 인근에 다른 학교들도 있습니다. 따라서 어린이나 학생을 대상으로 하는 병원과 학원 수요가 높을 것으로 예상했고, 60평 정도 규모라면 월 매출 3천만 원은 나올 수 있을 것 같다는 판단이 들었습니다. 시세 조사와 현장 조사 결과를 표로 나타내면 다음과 같습니다.

위치(주소)	인천광역시 남동구 구월동 정각사거리 60평대 3층 상가		
평수	60평대	배후 인구	약 1만 1,000세대
보증금	5,000만 원	월세	275만 원
필요 매출(월)	2,750만 원	가능 업종	병원, 학원
기타	- 상가 및 지하철역 이동 시 지나는 주 동선에 위치 - 인근의 학원과 병원이 활발하게 영업 중 - 특히 학원은 인당 수강료 20만 원으로 계산 시 수강생 150명 확보는 가능할 것으로 판단		

③ 투자 결과

위의 시세 조사와 현장 조사를 근거로 시세를 검증하고 조사한 뒤 투자를 결정했고, 해당 상가를 5억 4천만 원에 낙찰받았습니다. 그중 83%인 약 4억 5천만 원을 대출받았으며, 나머지 9천만 원과 기타 비용을 합쳐 초기 투자금으로 1억 2천만 원 정도가 필요했습니다. 예상대로 학원 및 병원 수요가 많아 한 달도 채 되지 않아 임차인이 들어왔고, 시세 조사 결과보다 높은 금액인 보증금 5천만 원/월세 300만 원에 계약했습니다. 보증금으로 환수한 금액을 제하면 실제 투자금은 약 7천만 원 정도였고, 다달이 300만 원의 월 수익을 거둘 수 있었죠. 대출 이자가 한 달에 160만 원 정도였으니 이를 제한 실제 연 수익은 1,700만 원가량으로, 실투자금인 7천만 원의 24%에 달했습니다. 즉, 4년 만에 실투자금을 모두 회수할 수 있는 투자였죠. 5년이 지난 현재 월 350만 원의 월세를 받고 있으니 투자금을 모두 회수하고 투자 수익률은 더욱 높아진 상황입니다.

투자금		수익	
① 낙찰가 ② 대출 ③ 잔금(①-②) ④ 세금 및 기타 비용 ⑤ 대출 이자(월)	5억 4,000만 원 4억 5,000만 원 9,000만 원 3,000만 원 160만 원	⑥ 보증금 ⑦ 월세 ⑧ 월 순수익(⑦-⑤) ⑨ 연 순수익(⑧×12)	5,000만 원 300만 원(월) 약 140만 원 약 1,680만 원
⑩ 실투자금(③+④-⑥)		7,000만 원	
⑪ 연간 수익률(⑨÷⑩)		약 24%	

* 특기사항: 현재 월 350만 원으로 계약, 투자 수익률 45.6%

장기적인 호재도 있습니다. 간석래미안아파트 우측의 다복마을이 재개발 정비구역으로 지정된 후 현재 공사 중으로, 2024년에 이곳에 1,119세대의 신규 대단지 아파트가 들어서면 배후 인구가 더욱 늘어나게 됩니다. 또한 아직 먼 이야기지만 인천시청역의 GTX-B 건설이 예정되어 있으니 향후 추가 시세 상승도 기대해볼 만합니다.

이처럼 상가 투자는 생각보다 적은 돈으로 안정적인 월세 수익을 얻을 수 있다는 장점이 있습니다. 물론 주택 투자보다 어려움이 많은 만큼 사전에 공부가 필요하다는 사실은 꼭 기억해야 합니다.

12부

'경매 투자'라고 하면 대부분 어렵고 힘들다거나

혹은 위험하다고 생각합니다.

이러한 인식 때문에 평생 한 번도 경매에 참여하지 않는

사람들이 더욱 많습니다.

경매에 대한 오해와 진실을 짚어보고

과연 경매가 좋은 투자가 될 수 있을지 알아보겠습니다.

결론부터 말씀드리면, 경매는 좋은 투자가 될 수 있습니다.

실전 투자자를 위한
경매 투자 엿보기

54

경매,
부를 쌓는 수단

    부동산은 장기적으로 우상향하는 투자처입니다. 제대로 공부하고 안정적인 선택을 한다면 대다수가 이익을 볼 수 있죠. 주변에서 주식으로 부자가 되었다는 사람은 찾기 어려워도 부동산으로 부자되었다는 사람은 쉽게 만날 수 있는 것만 보아도 알 수 있는 사실입니다. 물론 부동산 시장도 항상 오르기만 하지는 않습니다. 국가적인 혹은 전 세계적인 위기가 닥칠 때마다 부동산 시장도 정체나 하락기를 맞으니까요.

    그런데 부동산 가격 하락이 우려되거나 실제로 하락세가 나타났을 때 오히려 돈을 더 벌 수 있는 투자법이 있습니다. 바로 '부동산 경매'입니다. 경매 투자를 잘할 수만 있다면 상승기는 물론이고 하락기에도 돈을 벌 수 있습니다. 이런 장점에도 불구하고 대부분의 사람들은 왜 경매에 관심을 갖지 않을까요? 여러 이유가 있겠지만, 제일 큰 이유는 두렵기 때문입니다. 지금부터 경매에 대한 오해와 진실을 살펴보겠습니다.

경매 투자가 유독 위험하다는 생각은 오해다

세상에는 경매를 한 번도 경험해보지 않은 분들이 훨씬 많습니다. '위험하다'라는 인식 때문에 아예 시도조차 하지 않는 경우가 대부분이죠. 경매 투자가 위험하다고 여기는 이유는 크게 3가지입니다.

① "경매 물건은 법적인 문제가 있지 않나요?"

경매를 '당하는' 입장에서 생각해봅시다. 왜 경매를 당하게 되었을까요? 이는 사람과 사람 사이에 흔히 일어나는 '돈 문제'에서 비롯됩니다. 타인의 돈을 빌렸다가 갚지 못했을 수도 있고, 사업을 하다가 동업자에게 손해를 입혀 경매를 당하게 되었을 수도 있습니다. 살아가며 '돈'으로 인한 분쟁은 늘 존재하게 마련이며, 이때는 법을 통해 시시비비를 가릴 수밖에 없습니다. 경매는 사람과 사람

사이의 '돈 문제'를 나라에서 해결해주는 제도라고 이해하면 됩니다. 다만 개인 간의 돈 문제에 공적인 세금을 활용할 수는 없으니, 제3자인 낙찰자에게 돈을 받아서 문제를 해결합니다. 대신 낙찰자에게 부동산 소유권을 넘겨줌으로써 보상을 해주는 것입니다. 국가, 정확히는 사법부가 나서서 돈 문제를 해결해주는 제도가 '경매'이니, 경매는 본질부터 '법'과 관련이 있는 것이 당연합니다.

그런데 여기서 중요한 점이 있습니다. 제3자인 낙찰자가 경매를 통해 손해를 보기 쉬운 구조라면, 경매 물건이 잘 팔릴까요? 다들 손해를 입을 것이 두려워 입찰을 꺼리거나 아주 싼값에 입찰하려고 들 겁니다. 경매 물건이 싸게 매각될수록 돈 문제를 해결하기도 어려워지겠죠. 따라서 법원에서는 웬만하면 낙찰자가 법적인 책임을 지지 않도록 낙찰받는 즉시 대부분의 문제를 해결해줍니다. 실제로 경매를 해보면 낙찰자가 법적인 책임을 지는 물건은 10%도 되지 않죠. 경매를 경험하기 전까지는 막연히 두렵지만, 막상 해보면 법적인 문제를 크게 걱정하지 않아도 된다는 사실을 깨닫게 됩니다.

② "명도라는 과정이 어렵고 위험하다던데요?"

경매에는 '명도'라는 과정이 있습니다. 이는 쉽게 말해 낙찰받은 집에 살고 있는 사람(집주인 혹은 기존 세입자)을 내보내는 일입니다. 많은 분들이 명도에 대해 두려움과 공포를 느낍니다. 명도를 하러 갔더니 누가 칼을 들고 쫓아 나왔다는 둥, 낙찰자가 멱살을 잡혔다는 등 불미스러운 일이 많이 생긴다는 소문 때문입니다. 잘 살고 있는 사람을 내쫓는 것 같아 미안해지기도 하고요.

실제 현실에서도 그럴까요? 저의 경험상 이런 극단적인 사례는 2%도 채 되지 않습니다. 대부분은 점유자와 대화를 통해 순조롭게 명도가 진행됩니다. 물론 점유자 중에 무리한 요구를 하며 버티는 사람도 종종 있습니다. 이럴 때는 매각을 주관하는 법원에 '인도명령' 제도를 신청하여 점유자를 내보내면 되니 크게 걱정하지 않아도 됩니다. 법원은 왜 점유자를 강제로 내보내줄까요? 그 이유는 소유권을 얻은 낙찰자의 정당한 권리를 보호해주기 위해서입니다. 점유자가 정당한 권리 없이 남의 재산을 무단으로 점유해서는 안 된다는 것이죠. 명도에 대한 두려움도 결국 경매를 해보지 않았기 때문에 느끼는 감정일 뿐입니다.

③ "이제 경매로 돈 버는 때가 지났다던데요?"

이는 경매의 기본 속성 자체를 잘못 이해한 데서 생겨난 오해입니다. 경매는 시세보다 싸게 사서 비싸게 파는 것을 원칙으로 합니다. 어느 시기든 물건을 시세보다 싸게 살 수만 있다면 수익을 낼 수 있습니다.

그런데 왜 '경매로 돈 버는 때는 지났다'라는 말이 나오는 걸까요? 사실은 경매로 돈을 못 버는 시기가 있는 것이 아니라 특정한 물건을 싸게 사지 못하는 때가 있을 뿐입니다. 아파트 가격이 급등하는 시기를 떠올려봅시다. 자고 일어나면 몇 천만 원씩 오르는 시기에 경매를 한다고 해서 시세보다 수천만 원씩 싸게 살 수 있을까요? 경매도 결국 최고가를 쓴 사람이 낙찰을 받는 구조이므로, 경쟁이 과열되는 시기에는 낙찰가가 높아집니다. 반대로 그 누구도 집 사기를 꺼리는 부동산 하락기가 온다면 경매를 통해 아파트를 수천만 원, 심지어는 수억 원씩 싸게 살 수도 있습니다. 경쟁자 자체가 적어지고, 그나마 경매에 참여하는 사람들도 무조건 저렴한 가격에 입찰하려고 시도하기 때문이죠. 올바르게 상황을 판단하여 투자한다면 경매라는 투자법 자체가 무용지물이 되는 때는 없습니다.

경매, 알고 보면 좋은 투자법

지금까지는 경매에 대한 장점을 이야기했지만, 실제로 경매 투자자가 어려움을 겪을 때도 많습니다. 애초에 물건을 낙찰받기가 쉽지 않아 중도에 포기하는 사람이 많습니다. 또한 시세 조사를 잘 못하거나 권리분석에서 실수를 하면 낙찰을 받고도 큰돈을 손해 보기도 합니다.

그럼에도 경매는 '좋은 투자'가 될 수 있다고 생각합니다. '좋은 투자'의 기준은 무엇일까요? 다음의 4가지 요소를 따져봅시다.

- **투자금**: 투자를 하는 데 들어가는 최초의 원금
- **시간**: 가치가 상승하는 데 소요되는 시간
- **정성**: 가치의 상승을 예측하는 데 필요한 노력
- **변동성**: 가치의 변동이 급격하게 일어날 확률

좋은 투자란 가능한 한 적은 투자금을 들여 높은 확률로 돈을 버는 투자라고 할 수 있습니다. 경매는 어떨까요? 경매는 3천만 원 정도면 시작할 수 있을 정도로 일반 매매에 비해 상대적으로 적은 돈으로 접근할 수 있는 투자입니다. 시세 상승을 기대하기 힘든 저렴한 낡은 빌라나 원룸형 오피스텔도 경매라면 싸게 사서 시세차익을 얻을 수 있죠.

다음으로는 '시간'과 '정성'을 보겠습니다. 낯선 용어와 절차에 익숙해져야 하니, 일반 매매보다 경매 투자를 할 때 더 많은 공부가 필요한 것은 사실입니다. 하지만 한번 익히고 나면 경험이 쌓일수록 더욱 잘할 수 있는 분야이기도 합니다. 경매 투자에서는 경쟁자들의 심리 예측도 매우 중요한데, 여러 번의 경험을 통해 이를 파악하기가 수월해지기 때문이죠.

마지막으로 경매는 시세보다 싸게 사므로 사자마자 시세차익이 발생합니다. 부동산이라는 특성상 급등이나 급락이 드물기 때문에 투자 안정성이 높습니다.

다시 한번 강조하지만, 경매 투자의 핵심은 '시세보다 싸게 살 수 있다'는 점에 있습니다. 일반 매매로 투자하면 제값 주고 사서 세금 및 수수료를 내야 하니 시작부터 손해를 봅니다. 또한 시세차익을 볼 때까지 기다려야 하죠. 반면 경매는 시세보다 저렴하게 낙찰을 받으면 그 즉시 시세차익이 발생합니다. 어떤 경우에는 낙찰받고 2~3개월 만에 매도해서 단기 차익을 얻기도 하죠. 물론 투자에 정답은 없으니 경매가 최고의 투자라고 단언할 수는 없습니다. 다만 제 경험에 비춰보면, 경매는 부자가 되는 길을 단축해주는 하나의 수단임은 분명합니다.

55

상승기에도
하락기에도 통하는 경매 투자

"집값이 오를 때도 경매로 돈을 벌 수 있나요? 그럴 때는 다들 집을 사려고 하니까 낙찰가가 높아진다고 하던데요."

이런 의문은 합당해 보입니다. 상승기에는 경매 시장이 과열 양상을 보이기도 하고, 입찰자가 많아지면 낙찰가율◉도 높아질 수밖에 없죠. 그런데 저는 이 같은 질문에 늘 "지금도 경매로 돈을 벌 수 있다"라고 말합니다. 기본적으로 경매는 부동산 하락기에 빛을 발하지만, 상승기에도 가능한 투자입니다.

◉ **낙찰가율**
경매 물건의 입찰 기준이 되는 '감정가' 대비 실제 낙찰된 가격. 감정가 1억 원짜리가 1억 500만 원에 낙찰됐다면 낙찰가율은 105%(1.05억/1억)가 된다.

경매는 하락기에 빛을 발한다

먼저 부동산 하락기부터 살펴보겠습니다. 사람들이 좀처럼 집을 사려고 하지 않는 시기에는 경매에 대한 관심도 현저히 낮아질 수밖에 없습니다. 일반 매매도 꺼리는 마당에 절차가 복잡하고 권리 분석까지 해야 하는 경매는 두말할 것도 없지요. 그런데 이때 경매 투자자들은 '물 만난 고기'처럼 활발히 경매 투자를 합니다. 하락기에는 돈 문제에 얽혀 나오는 물건이 더욱 많아지니 경매 투자자 입장에서는 좋은 물건을 싸게 살 수 있기 때문이죠. 이때 경매의 장점이 극대화됩니다. 시세보다 싸게 샀으니 당장 팔아 차익을 얻을 수도 있고, 일단 전세나 월세를 주고 부동산 상승기까지 기다리며 적은 투자금으로 소유권을 늘려갈 수도 있습니다. 태풍을 피해 모두가 도망칠 때 오히려 그 속으로 뛰어드는 사람들이 돈을 버는 투자처가 경매입니다.

경매는 상승기에도 통한다

그렇다면 부동산 상승기에는 어떨까요? 최근 몇 년간 부동산 가격이 폭등하면서 경매 낙찰가율이 치솟았습니다. 경매 전문 기업 지지옥션이 발표한 자료에 따르면, 2021년 10월 서울 아파트 경매 낙찰가율은 평균 119.9%였습니다. 낙찰자들이 감정가보다 거의 20%나 높은 가격에 샀다는 의미입니다. 이러한 통계를 보면 이제 경매로는 돈을 벌 수 없겠다고 생각하는 것도 당연합니다.

그런데 여기에는 '감정가'라는 함정이 있습니다. 감정가는 경매를 진행할 '기준 가격'을 책정하기 위해 법원이 감정평가사에게 받은 금액일 뿐, 실제 '시세'와는 차이가 있습니다. 감정평가는 보통 입찰일보다 6~8개월 전에 이뤄집니다. 한 달 사이에도 집값이 뛰는 부동산 상승기에 반년이면 감정가 대비 시세가 더욱 많이 올랐을 가능성이 높죠. 즉, 낙찰가율이 100%가 넘는다는 사실만으로 시세보다 비싼 값에 낙찰받았다고 단정할 수는 없습니다. 결국 낙찰가율보다는 당시 시세보다 얼마나 싸게 샀는지가 관건입니다.

지금도 경매로 돈을 버는 사람들이 있다

부동산 상승기가 오래 이어진 최근에도 경매 투자를 통해 수익을 낸 사례는 손에 꼽을 수 없을 정도로 많습니다. 경매 전문 사이트 스피드옥션(speedauction.co.kr)에서 매물을 검색해보면 성공한 경매 투자 사례를 확인할 수 있습니다.

2022년 2월 21일에 낙찰된 하남시 창우동 신안아파트의 사례를 보면, 단 한 명의 입찰자가 감정가보다 11만 원 높은 7억 4,611만

2020 타경 9376 (임의) 2021타경3177(중복) 2021타경3955(중복)		매각기일 : 2022-02-21 14:00~ (월)		경매6계 031-737-1326	
소재지	(12955) 경기도 하남시 창우동 521 꿈동산신안아파트 제○동 제○층 제○호 [도로명] 경기도 하남시 대청로116번길 59				
용도	아파트	채권자	우□□	감정가	746,000,000원
대장용도	아파트	채무자	서○○	최저가	(100%) 746,000,000원
대지권	46.5994㎡ (14.1평)	소유자	서○○	보증금	(10%)74,600,000원
전용면적	84.89㎡ (25.68평)	매각대상	토지/건물일괄매각	청구금액	250,000,000원
사건접수	2020-12-10	배당종기일	2021-04-20	개시결정	2020-12-24

기일현황

회차	매각기일	최저매각금액	결과
신건	2022-02-21	746,000,000원	매각
김○○/입찰1명/낙찰746,110,000원(100%)			
	2022-02-28	매각결정기일	

물건현황/토지이용계획

창우초등학교 남동측 인근에 위치

주변은 아파트단지, 근린생활시설, 각급 학교 등이 혼재

인근에 노선버스정류장이 소재하는 등 대중교통사정은 보통

외곽공도와 연계된 단지내 포장도로 개설되어 있음

제3종일반주거지역

공장설립제한지역

이용상태(방3, 욕실2, 거실, 주방겸식당, 발코니, 현관 등)

도시가스에 의한 개별난방설비, 위생 및 급배수설비, 승강기설비, 옥내소화전설비, 지하주차장 등

면적(단위: ㎡)

[대지권]

창우동 521 대지권
83,165.7㎡ 분의 46.6㎡
46.6㎡ (14.1평)

[건물]

보존등기일:1995-09-04

창우동 521 418동
12층1203호 아파트
84.890㎡ (25.68평)
철근콘크리트조
18층 건물 12층
남동향

🔲 건축물대장

임차인/대항력여부

배당종기일: 2021-04-20
- 채무자(소유자)점유

🔲 매각물건명세서
🔲 예상배당표

등기사항/소멸여부

소유권	이전 집합
2008-08-21 윤○○○○○ (거래가) 384,000,000원 매매	
소유권	이전 집합
2019-07-22 서○○ (거래가) 485,000,000원 매매	
(근)저당	소멸기준 집합
2019-07-22 우○○○ 211,200,000원	
(근)저당	소멸 집합
2019-08-05 김○○	

원에 단독 낙찰받았습니다.

 다음의 '실거래가 정보'를 통해 2022년 1월 같은 평수인 84.89제곱미터가 8억 1,450만 원에 거래된 사실을 확인할 수 있습니다. 비슷한 평수의 매물이 대략 8억~8억 4천만 원 사이에 거래되었죠. 낙찰자는 경매 과정에서 들어간 기타 비용을 감안하더라도 최소 5천만 원 이상의 시세차익을 이미 확보한 셈입니다.

결국 지금 이 순간에도 누군가는 경매를 통해 시세보다 싸게 사서 수익을 내고 있습니다. 일찌감치 경매에 대한 경험과 실력을 쌓아둔다면 언젠가 닥쳐올 하락기에 남들과 달리 큰돈을 벌 기회를 잡을 수도 있겠죠. 이것이 바로 지금 경매를 공부해야 하는 이유입니다.

56

한눈에 파악하는
경매 절차

경매 절차가 너무 복잡하고 어렵다고 지레 생각하는 분들이 많습니다. 하지만 막상 경매에 한두 번 참여해보고 나면 생각보다 어렵지 않음을 깨닫게 됩니다. 이번 장에서 경매 과정을 단계별로 정리해보면 더욱 이해하기 쉬울 것입니다.

① 물건 검색

내가 사고 싶은 집을 찾아보는 단계입니다. 우리나라 법원에서 운영하는 사이트인 법원경매정보(courtauction.go.kr)에서 모든 경매 매물 정보를 무료로 확인할 수 있습니다. 다만 경매 투자자들

대표적인 유료 옥션 사이트 스피드옥션

은 편의성이 좋은 유료 사이트를 이용하는 편입니다. 스피드옥션
(speedauction.co.kr)이나 지지옥션(ggi.co.kr) 같은 유료 사이트에는
무료 사이트엔 없는 편리한 부가 기능이 많습니다. 법원경매정보를
이용할 때는 해당 매물의 등기부등본이나 전입세대 열람 등을 매번
스스로 찾아봐야 하지만, 유료 사이트에서는 이를 포함한 다양한
정보를 제공합니다.

이러한 경매 사이트에서 투자 조건(투자금, 상품 유형 등)에 맞는

운명을 바꾸는 부동산 투자 수업_ 실전편

매물을 검색해보면 됩니다. 참고로 실제 검색되는 경매 물건은 입찰까지 약 2개월 정도 남은 물건만 가능합니다. 언제 어떤 물건이 경매 시장에 나올지 알 수 없고 입찰일 변경도 잦은 편이니, 경매 투자자는 수시로 사이트를 확인해야 합니다.

② 권리분석

권리분석은 일반 매매에는 없는 경매 절차입니다. 경매에는 채무 관계로 법적 소송과 다툼이 있는 물건이 나옵니다. 어떤 경우에는 낙찰자가 입찰 금액 이외의 추가금을 물어주어야 하는 물건도 있습니다. 따라서 입찰하고 싶은 물건이 있다면 반드시 해당 부동산에 얽힌 각 이해 당사자의 법적 권리를 분석해야 합니다. 이 행위가 바로 '권리분석'입니다.

혹시 '잘못하면 손해를 볼 수 있다'라는 생각에 두려운가요? 경매에서 법적인 문제 혹은 다툼이 생기거나 낙찰자가 채권자에게 예상치 못했던 돈을 물어주는 상황은 주로 권리분석을 제대로 하지 못해서 발생합니다. 그러니 실수하지 않을 만큼 공부하거나 애초에 애매한 물건을 입찰하지 않으면 손해 볼 일은 없습니다. 결국 권리분석이 문제가 아니라 돈 욕심에 성급하게 투자한 자신이 문제입니다.

③ 시세 조사 및 현장 조사

경매는 권리분석보다 시세 조사나 현장 조사가 훨씬 중요하고
어렵습니다. 경매 투자를 할 때는 남들이 꺼리는 물건을 주로 다룰
수밖에 없고, 그런 물건은 시세 조사가 어려운 빌라나 오피스텔, 상
가인 경우가 많죠. 그렇다 보니 경매에서도 실거래가나 호가 정보
가 많은 아파트에 입찰자가 몰리는 경향이 있습니다. 경쟁자가 많
으면 싼값에 매수하기가 힘드니 경매로 돈 벌기 힘들다는 말이 나
옵니다. 결국 경매의 성패는 '현장 조사'와 '시세 조사'에서 판가름
난다고 생각하면 됩니다. 한편 경매 투자자는 혹시 모를 실수나 추
가 비용 등을 사전에 예측하기 위해 다양한 방식으로 정보를 수집
해야 합니다. 적정 비용을 계산하고 최적의 입찰가를 결정하기 위
해 많은 노력을 해야 하죠.

④ 입찰 및 낙찰

♀ 입찰 보증금
법원에서 공시한 최저가의
10%를 입찰 보증금으로 준
비해야 한다. 낙찰에 성공하
면 최종 잔금을 계산할 때 보
증금을 제한 금액을 내며, 낙
찰받지 못한 사람은 보증금
을 입찰장에서 즉시 돌려받
는다.

원하는 물건을 검색해서 권리분석과
시세 조사까지 마쳤다면, 이제 입찰에 참
여할 차례입니다. 정해진 입찰일에 해당
관할 법원에 직접 가서 참여하며, 이때 본
인의 신분증과 도장, 입찰 보증금♀을 준
비해야 합니다. 내가 직접 갈 수 없어서
대리인이 참여할 때는 위임장이 있어야

운명을 바꾸는 부동산 투자 수업_실전편

하죠.

입찰장에 도착하면 입찰 보증금을 넣는 봉투와 '기일입찰표'를 받게 됩니다. '기일입찰표'에는 입찰인의 신상, 물건의 정보와 원하는 입찰 금액을 적습니다. 입찰이 마감되면 개찰 후 입찰가가 가장 높은 사람이 낙찰에 성공합니다.

문제는 낙찰 확률이 그리 높지 않다는 점입니다. 싸게 사려고 하니 입찰가를 낮게 적게 되고, 그럼 낙찰 확률이 떨어질 수밖에 없죠. 어느 정도 시세차익을 내면서도 경쟁자보다는 높게 써야 하는 매우 어려운 과정입니다. 만약 낙찰을 받지 못하면 다시 1단계부터 과정을 반복해야 합니다.

⑤ 경락잔금 납부

낙찰을 받았다면 이제 잔금을 치를 차례입니다. 보통 입찰일로부터 30~45일 사이에 납부하며, 입찰 보증금을 제외한 금액 전체를 냅니다. 그런데 일반 매매와 달리 경매로 낙찰받은 물건은 '전세를 끼고' 세입자를 들여서 잔금을 치를 수 없습니다. 잔금까지 모두 납부하고 소유권을 완전히 이전받은 뒤에야 전세를 놓을 수 있습니다. 아직 점유자가 살고 있고 명도도 되지 않았기 때문입니다. 따라서 잔금은 보통 대출을 받아 납부합니다. 이를 '경락잔금대출'이라 부르는데, 일반적인 주택담보대출과 비슷합니다.

⑥ 명도

명도는 일반 매매에는 거의 없는 과정으로, 기존 점유자(집주인 또는 임차인)를 내보내는 일을 말합니다. 낙찰자는 '대항력♀'이 없는 임차인을 내보낼 수 있는 법적인 권리가 있지만, 이 과정에서 종종 다툼이 발생하기도 합니다. 명도의 절차 자체는 단순하지만 점유자와 협상하는 과정에서 날 선 대화가 오고 가는 경우도 있기 때문에 아무래도 심리적 부담을 느끼는 분들이 있죠.

♀ 대항력
임차인이 경매를 통해 새롭게 소유주가 된 사람에게 '대항'할 수 있는 권한이다. 모든 임차인이 대항력을 갖는 것은 아니지만, 대항력 있는 임차인은 마음대로 명도할 수 없다는 점만 기억한다.

⑦ 수리

명도까지 완료하고 비어 있는 집을 수리하는 단계입니다. 일반 매매와 크게 다른 점은 없지만, 수리해야 할 부분이 좀 더 많을 수는 있습니다. 소유주가 원해서 집을 매도한 것이 아니다 보니, 상대적으로 관리가 덜 된 경우가 많습니다.

⑧ 임차

경매는 대개 실거주보다는 임대 및 매각 목적으로 낙찰받습니다. 직접 살 집이라면 지역과 평수, 연식 및 가격대 등을 종합적으로 따져보게 되는데, 그런 물건이 원하는 시기에 경매로 나올 확률은 매우 희박하기 때문입니다. 물론 수리를 마친 뒤에 세입자를 들이지 않고 바로 매도하여 시세차익을 보기도 합니다.

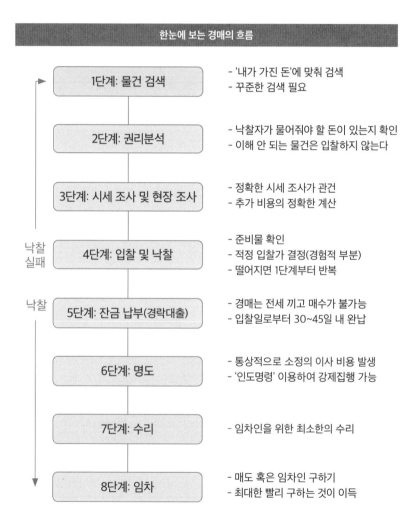

한눈에 보는 경매의 흐름

1단계: 물건 검색
- '내가 가진 돈'에 맞춰 검색
- 꾸준한 검색 필요

2단계: 권리분석
- 낙찰자가 물어줘야 할 돈이 있는지 확인
- 이해 안 되는 물건은 입찰하지 않는다

3단계: 시세 조사 및 현장 조사
- 정확한 시세 조사가 관건
- 추가 비용의 정확한 계산

4단계: 입찰 및 낙찰 (낙찰 실패)
- 준비물 확인
- 적정 입찰가 결정(경험적 부분)
- 떨어지면 1단계부터 반복

5단계: 잔금 납부(경락대출) (낙찰)
- 경매는 전세 끼고 매수가 불가능
- 입찰일로부터 30~45일 내 완납

6단계: 명도
- 통상적으로 소정의 이사 비용 발생
- '인도명령' 이용하여 강제집행 가능

7단계: 수리
- 임차인을 위한 최소한의 수리

8단계: 임차
- 매도 혹은 임차인 구하기
- 최대한 빨리 구하는 것이 이득

57 권리분석,
제대로 배우면 1분 안에 끝난다

　일반 매매에는 없는 경매 절차 중 하나가 바로 '권리분석'입니다. 입찰 전 매물에 문제가 있는지를 살펴보고, 추후 어떤 권리들이 입찰자에게 인수되는지 확인하는 과정이죠. 법적으로 얽힌 관계를 파악하는 과정이 매우 복잡할 것이라고 생각하기 쉽지만, 모든 물건의 권리분석이 어렵지는 않습니다. 초보자는 기본적으로 알아야 할 사항을 공부하고, 기준에 맞는 물건에만 투자하면 됩니다. 대다수 경매 물건의 권리분석은 1분 안에 해결됩니다.

복잡한 권리가 얽힌 물건에 투자하지 마라

'경매는 어려운 투자이기 때문에 오랜 시간 공부해야 한다'라는 편견을 가진 분들이 많습니다. 경매 절차와 권리분석 등을 철저하게 알아두어야 하는 것은 맞지만, 경매는 100점을 받아야 하는 시험이 아닙니다. 투자하는 데 무리가 없을 정도로만 알아두면 된다는 말입니다. 그리고 그 정도 수준의 권리분석을 익히는 데는 그리 오래 걸리지 않습니다. 경매의 모든 것을 완벽히 공부할 필요도, 용어 하나하나의 개념과 의미를 다 외울 필요도 없죠.

물론 여기에는 한 가지 조건이 있습니다. 권리분석이 복잡하고 어려운 물건은 애초에 시도하지 않는다는 원칙입니다. 권리분석이 복잡한 물건에 뛰어들어 이를 해결할 수만 있다면 더 빨리, 더 많은 돈을 벌 수는 있습니다. 그러나 경매 초보자가 시도하기에는 매우 위험합니다. 초보자에게는 적게 벌더라도 안전한 물건을 찾아내는 안목과 어렵고 위험한 물건은 포기하는 결단력이 필요합니다. 한마디로 내가 할 수 있는 물건에만 도전하면 충분히 실전 투자가 가능하다는 의미입니다.

이번 장에서는 초보자도 할 수 있는 아주 간단한 권리분석법에 대해 알려드리고자 합니다.

낙찰자가 '물어줘야 할 돈'도 있다

저렴하게 낙찰받았다고 생각했는데 예상과 달리 수익이 매우 작거나 심지어 손해를 보는 경우가 있습니다. 이는 '낙찰자가 물어 줘야 할 돈'을 입찰 전에 제대로 파악하지 못했을 때, 즉 권리분석을 제대로 하지 않았을 때 발생합니다.

그럼 이를 어떻게 판단할 수 있을까요? 깊게 파고들면 책 한 권으로도 모자라지만, 경매를 처음 접하는 분들을 위해 2가지 기본 개념을 간단히 살펴보겠습니다. 이것만 알아도 경매 물건의 60%는 권리분석이 가능합니다.

① 말소기준권리

권리분석을 할 때 가장 먼저 해야 할 일이 말소기준권리를 찾아내는 것입니다. 말소기준권리란 부동산을 낙찰받는 경우 그 부동산에 존재하던 권리가 소멸하는가, 그렇지 않으면 그대로 남아 낙찰자에게 인수되는가를 가늠하는 기준이 되는 권리를 말합니다. 즉 말소기준권리보다 빨리 설정된 권리는 낙찰자에게 인수되고, 느린 권리는 소멸한다고 이해하면 됩니다. 말소기준권리에는 저당권, 근저당권, 압류, 가압류, 담보가등기, 경매개시결정등기 등 6개가 있는데, 이 중 가장 빨리 설정된 권리를 '소멸 기준'으로 잡습니다. 어차피 이 권리보다 느린 것은 모두 소멸하기 때문입니다. 또한 말소

운명을 바꾸는 부동산 투자 수업_ 실전편

기준권리 자신도 낙찰되면 같이 소멸합니다. 결국 자신을 포함 자기보다 느린 권리를 모두 소멸시킨다고 이해하면 쉽습니다. 위는 경매 정보 유료 사이트인 스피드옥션에서 확인한 경매 사례입니다.

2022년 2월에 경매 진행된 물건(2020 타경 1013)입니다. 아래 '등기 사항/소멸 여부'를 살펴보면 소유권 바로 아래에 2014년 5월 19일 '(근)저당'이 있고, 옆에 '소멸 기준'이라고 적혀 있습니다. 근저당은 말소기준권리 중 하나이고, 2014년 5월 19일 이후에 발생한 권리들은 모두 말소(삭제)됩니다. 그럼 가장 위에 '소유권'만이 남는데, 이는 이 물건을 소유한 사람이 누구인지를 알려주는 것이니 신경 쓰지 않아도 됩니다. 모든 권리가 소멸했고 책임질 것이 없는 이런 물건을 두고 '권리가 깨끗하다'라고 표현합니다.

어떤가요? 너무 간단한가요? 이 물건의 권리분석은 이것으로 끝이 났습니다. 위의 사례에서 알 수 있듯이 권리분석이 어렵고 복잡한 물건만 경매에 나오는 것은 아닙니다.

② 임차인의 대항력

말소기준권리 이외에 알아야 할 기본 개념이 바로 '임차인의 대항력'입니다. 임차인의 대항력이란, 임차인이 말소기준권리(소멸 기준)보다 빠른 날짜에 전입신고를 했다면 이 물건이 경매로 넘어가더라도 보증금을 돌려받을 수 있게 해주는 권리입니다. 주택임대차보호법에 의해 보장권 권리로, 대항력이 있을 시에 임차인은 새로운 주인, 즉 낙찰자에게 보증금을 모두 받아낼 권리가 있습니다. 따라서 경매 투자자 입장에서는 내가 입찰하려는 물건을 점유하고 있는 사람이 임차인인지 여부가 중요하며, 임차인이 말소기준권리 일

출처: 스피드옥션

자보다 전입신고를 빨리 했는지, 즉 대항력이 있는지를 따져봐야 합니다. 참고로 소유자는 임차인이 될 수 없으니 당연히 대항력이 있을 수 없습니다.

2022년 1월 경매가 진행된 위 물건(2021 타경 3259)의 권리분석을 해보겠습니다. 하단의 '등기 사항/소멸 여부'를 보면 2018년 9월 6일에 (근)저당이 설정되어 있는 것을 볼 수 있습니다. 이 (근)저당으로 인해 이후의 권리들은 모두 소멸됩니다. 그 위로는 소유권 밖에 남아 있지 않으니 신경 쓰지 않아도 됩니다. 다음으로 옆의 '임차인/대항력 여부'를 보면, 앞서 살펴본 물건과 달리 임차인이 거주하고 있습니다. 그러나 전입신고일이 2021년 5월 6일로, 소멸 기준인 2018년 9월 6일의 (근)저당권보다 늦습니다. 이 경우 임차인은 대항력이 없으므로, 낙찰자가 임차인의 보증금을 책임질 필요가 없습니다.

지킬 것만 지켜도 돈 되는 경매를 할 수 있다

이 2가지 기본 개념만 알아도 경매를 시작할 수 있습니다. 권리분석이 복잡한 사례도 있지만 아주 간단히 해결되는 물건이 훨씬 많습니다. 그러니 경매를 공부하기도 전에 겁부터 먹을 필요는 없습니다.

이번에는 실제 수강생의 투자 사례로 권리분석을 연습해보겠습니다. 다음 물건의 권리분석을 직접 해보세요.

어떤가요? 앞의 내용을 이해했다면 빠른 시간 안에 권리분석이 마무리되었을 겁니다. 내용을 살펴보면 2002년 6월 5일의 (근)저당권으로 인해 이후의 권리들은 모두 소멸했으니 문제가 없고, 채무

투자		수익	
① 낙찰가	8,500만 원	⑥ 매각	1억 600만 원
② 대출	6,300만 원	⑦ 시세차익(⑥-①-④)	1,800만 원
③ 투자금(①-②)	2,200만 원	⑧ 양도소득세(⑦× 77%) (250만원 기본공제)	1,193만 원
④ 기타 비용	300만 원	⑨ 순수익(⑦-⑧)	607만 원
⑤ 실투자금(③+④)	2,500만 원	⑩ 수익률(⑨/⑤)	24.3%

자(소유자) 본인이 거주하고 있으니 임차인의 대항력은 따져볼 필요가 없습니다. 투자자 입장에서는 전혀 문제없는 물건이죠.

그럼 이렇게 간단한 권리분석 물건으로도 돈을 벌 수 있을까요? 당연히 가능합니다. 수강생은 해당 물건을 8,500만 원에 낙찰받은 후 3개월 만에 1억 6백만 원으로 매각하여 바로 시세차익을 얻을 수 있었죠.

낙찰자는 단 3개월 만에 투자금 2,500만 원으로 607만 원의 수익을 냈습니다. 양도세 77%를 내고도 어떻게 24%가 넘는 높은 수익을 단기간에 얻을 수 있었을까요? 권리분석을 잘해서가 아니라, 남들이 꺼리는 물건의 가치를 알아보는 눈과 20년 된 낡은 빌라에도 도전할 수 있는 투자 마인드가 있었기에 가능했던 일입니다.

운명을 바꾸는 부동산 투자 수업_실전편

58

명도가 어렵다고
경매 포기하지 마라

　명도를 크게 걱정하지 않아도 된다고 하지만 막상 눈앞에 닥치면 두려움이 생길 수밖에 없습니다. '어떤 사람이 살고 있는지도 모르는데, 막무가내로 버티거나 다짜고짜 욕을 하면 어쩌지?' 별별 생각이 다 듭니다. 그런 걱정을 조금이라도 줄일 수 있도록 실제 경매 투자자들의 경험담을 소개합니다.

교통사고 날까 봐 운전을 못 한다고?

낙찰을 받고 점유자와 연락이 되지 않아 법원을 통해 강제로 문을 열고 들어갔는데, 고독사한 시체가 있었다면 어떨 것 같나요? 대화가 통하지 않는 점유자가 집 안 벽지와 싱크대에 유성 매직으로 온갖 욕과 저주를 퍼부어놓았다면요? 이런 경우도 있습니다. 낙찰받은 집의 문을 열고 들어가니 치매에 걸린 80대 어르신이 홀로 계셨는데, 이분은 본인 집이 경매에 넘어간 줄도 몰랐습니다. 대화하기도 어렵고 심지어 가족들 연락처도 모르는 상황이었죠. 어떤가요? 듣기만 해도 아찔한가요? 모두 저의 교육생들이 겪었던 사례입니다.

그런데 진짜 중요한 건 바로 이것입니다. 과연 이런 일들이 발생할 확률은 몇 퍼센트나 될까요? 위 사례들은 제가 본 명도 사례 중 정말 손에 꼽을 만한 일이고, 이런 특별한 상황이 발생할 확률은 2%가 채 안 될 겁니다. 나머지 98%는 별 문제 없이 명도가 끝나죠. 2%라면 어떤 생각이 드시나요? 이것 때문에 경매를 하지 못한다고 할 수 있을까요? 저는 명도의 두려움이 교통사고와 똑같은 개념이라 생각합니다. 매일 교통사고가 일어나지만 우리가 운전대 잡는 것을 두려워하지 않는 이유는 발생 확률이 극히 낮기 때문입니다. 명도도 똑같이 생각하면 두려움을 극복할 수 있습니다.

운명을 바꾸는 부동산 투자 수업_ 실전편

명도는 비도덕적인 일이 아니다

부동산 경매를 할 때 가장 까다로운 부분으로 명도를 꼽는 또 다른 이유가 점유자에 대한 미안함입니다. 명도 자체를 타인에게 상처를 주는 과정으로 받아들여 지나친 감정 소모를 합니다. 아무리 적법하게 낙찰을 받았다고는 해도 멀쩡히 잘 사는 점유자를 내쫓기가 괴롭다고 합니다. 이런 분들에게 꼭 하고 싶은 말은 명도는 비도덕적 행위가 아니며, 낙찰자는 오히려 문제를 해결해주는 사람이라는 것입니다.

경매에 나온 물건은 대부분 돈 문제가 얽혀 있습니다. 중간에 돈 문제가 해결되었다면 해당 물건이 경매에 나오지는 않았겠죠. 결국 채무자가 돈 문제를 해결하지 못했기에 그 물건이 경매에 나온 것입니다. 이런 문제는 낙찰자의 돈으로만 해결할 수 있습니다. 즉 입찰자는 부동산을 매수함으로써 채무자의 돈 문제를 해결해주는 좋은 일을 한 것입니다. 그리고 그렇게 얻은 부동산에 대한 적법한 권리를 요구하는 것입니다.

인도명령: 법원이 법적으로 명도를 보장한다

대부분 낙찰자는 점유자와 대화를 통해 명도 과정을 원만히 진행합니다. 그 과정에서 점유자에게 '이사비'로 얼마간의 돈을 지불하는 경우도 있는데, 낙찰자의 법적인 의무는 아니지만 여러 상황을 고려하여 조금이라도 명도를 빨리 끝내기 위해 지불하는 협상 비용의 일종으로 볼 수 있습니다.

그런데 이런 협상을 통해서도 명도가 매끄럽게 진행되지 않으면 어떻게 해야 할까요? 많은 분들이 오해하는 점이 있는데, 원래 명도는 협상이 아니라 법으로 하는 것입니다. 낙찰 후 절차에 따라 법원에 '인도명령'을 신청 후 '강제집행'을 하면 낙찰자는 거주자와 만날 일도 없이 명도를 진행할 수 있죠.

이렇게 법원이 명도를 대신해주는데도 낙찰자가 직접 임차인을 만나서 설득하고 명도를 진행하는 이유는 무엇일까요? 시간과 비용을 조금이라도 아끼기 위해서입니다. 법원을 통한 명도는 보통 2~3개월 이상 소요되고, 그에 따라 비용이 발생할 수밖에 없죠. 20평대를 기준으로 300만 원 안팎인데, 이를 아껴볼 요량으로 점유자와 협상을 해보는 것입니다. 따라서 명도가 너무 두렵다면 협상 없이 법적 절차를 밟겠다고 생각해도 됩니다. 시간과 돈을 들이면 스트레스가 덜어집니다. 이러한 사실만 미리 알고 있어도 명도에 대한 걱정이 훨씬 줄어들 것입니다.

다시 한번 강조하지만, 저는 명도 과정이 쉽다는 말을 하려는 것이 아닙니다. 누군가와 다툼이 일어날 가능성이 있다는 그 자체로도 부담인 것은 사실이니까요. 그러나 하나를 얻으려면 다른 하나를 잃어야 한다는 말이 있습니다. 경매의 장점을 얻기 위해서는 내가 감수해야 할 단점도 있겠죠. 그중 하나가 명도라고 생각하고 투자자 스스로 극복하려는 마인드를 갖추어야 합니다. 결국 모든 일은 내 마음에 따라 고통스러운 일이 될 수도, 살아가는 데 도움이 되는 경험일 수도 있습니다. 단점이 걱정될 때는 장점을 떠올려보세요. 시세보다 싸게 살 수 있다는 엄청난 장점은 거저 얻어지는 것이 아닙니다. 어떤가요? 이제는 경매에 한번 도전해볼 마음이 생기지 않나요?

적게 쓰고 크게 버는 경매의 정석

몇 페이지 설명으로 경매 투자 노하우를 모두 알려줄 수는 없지만 경매가 의외로 어렵지 않다는 사실과 투자 효율성이 좋다는 사실은 확실히 보여줄 수 있습니다. 이번에는 적은 투자금으로 큰 수익을 얻은 제 수강생의 사례를 공유합니다.

① 물건 검색

2020년 당시 여유 자금이 많지 않았던 수강생 A씨는 경매 사이트에서 최소 금액으로 투자 가능한 물건을 검색했습니다. 마침내 김포시의 한 아파트를 찾았죠.

보통 경매에서는 최저입찰가가 첫 감정가 그대로인 '신건'보다는 한 번 이상 유찰된 물건들에 관심이 쏠리는 경우가 많습니다. 무엇보다 '싸게 사는 것'이 관건인 투자법이기 때문이죠. 그런데 A씨가 찾은 물건은

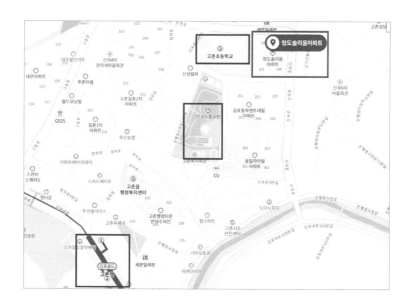

당시 신건이라 상대적으로 관심도가 덜했습니다. 또한 김포골드라인 고촌역까지 도보로 10분 조금 넘게 걸려서 역세권으로 보기도 애매한 데다가, 232세대의 소규모 아파트라 경매 투자자의 관심도가 떨어지는 물건이었습니다. 그럼 경쟁률이 낮을 테니 A씨의 낙찰 가능성이 높아지는 셈입니다. A씨는 해당 물건 옆에 초등학교와 공원이 있어 아이를 키우는 가족의 임차 수요는 높을 것이라 판단하고 추가 조사를 시작합니다.

② 권리분석

다음으로 할 일은 권리분석입니다. 살펴보니 말소기준권리 중 가장 빠른 권리가 근저당이었고, 낙찰 후 모든 권리는 소멸되는 구조였습니

다. 또한, 소유자가 거주하고 있는 곳이니 임차인의 대항력 문제도 신경

쓸 필요가 없었죠.

③ 시세 조사 및 현장 조사

수강생 A씨는 시세 조사를 할 때 전세 매물이 거의 없다는 말을 여

러 번 들었습니다. 또한 매매 시세를 확인하니 그동안 시세가 안정되어

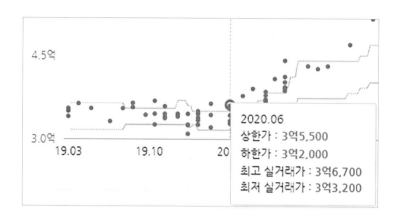

2020.06
상한가 : 3억5,500
하한가 : 3억2,000
최고 실거래가 : 3억6,700
최저 실거래가 : 3억3,200

있다가 입찰 직전 몇 개월간 단기적으로 급등했다는 것을 알았습니다. 이러한 점들로 미루어보아 시세 상승의 초입 같다는 느낌이 들었습니다. 일단 낙찰을 받으면 전세를 주고 보유하는 방향으로 기본 전략을 세웠지만, 운이 따라준다면 단기 매매로 시세차익을 볼 수도 있겠다 싶었습니다. 해당 물건은 79제곱미터(24평형) 단일 평형 단지로 시세 조사도 수월한 편이었는데, 당시 매매는 3억 9,200만 원, 전세는 2억 6천만 원 정도에 형성되어 있었습니다.

④ 입찰과 낙찰

신건인 데다 비역세권, 소규모 아파트라는 이유로 입찰자는 해당 수강생을 포함해 2명뿐이었습니다. 당시는 '임대차 3법'이 통과된 직후로, 시세가 감정가 대비 3천만 원 정도 오른 상태였습니다. 그러나 앞서 말한 이유들로 이 물건에 대한 관심이 적었기에 경쟁자들이 이러한 사실을 제대로 인지하지 못했던 것으로 보입니다. 애초에 경쟁률이 낮을 것으로 예상한 만큼 낮은 금액으로 입찰을 시도했는데, 다른 경쟁자는 최저가를 쓰는 바람에 209만 원 차이로 A씨가 낙찰을 받게 되었습니다.

⑤ 경락잔금대출

A씨는 처음부터 전세 임대를 놓을 생각이었기에, 중도상환수수료가 낮은 대출 상품을 우선적으로 고려했습니다. 세입자를 구하면 그 보증금으로 대출을 상환할 생각이었기 때문이죠. 여러 은행에서 상담을 받은 뒤 3개월 이후 상환할 경우 중도상환수수료가 면제되는 대출 상품을 찾았습니다. 낙찰 이후 명도 과정이 보통 2~3개월 걸리기 때문에 전세 입자를 제때 맞추면 중도상환수수료 없이 상환할 수 있었죠. 당시 낙찰금 약 3억 6천만 원의 59.4%인 2억 1,400만 원을 대출받았고, 이자는 연 3.06%였습니다.

⑥ 명도

먼저 소유자에게 전화를 걸어 명도 협상을 진행했습니다. 참고로 이 물건은 채권 총액이 낙찰금보다 적었습니다. 즉, 해당 물건에 사는 소유자가 낙찰금으로 빚을 모두 처리하고도 남는 돈을 배당받을 수 있었죠. 소유자는 법원으로부터 돈을 받는 배당기일인 11월 30일에 이사를 가겠다고 약속했습니다. 그러나 명도 과정에서 임차인이나 소유자의 말을 그대로 믿을 수는 없습니다. 경매에 집이 부쳐질 정도로 경제적인 어려움이 있는 상황인 만큼 약속이 지켜지지 않을 수 있습니다. A씨는 명도 협상을 진행하면서 한편으로는 인도명령 및 강제집행 절차를 병행했죠.

안타깝게도 소유자는 약속을 계속해서 어기며 이사 날짜를 미뤘고, 심지어 이사 갈 집을 계약했다며 조금만 기다려달라고 낙찰자를 안심시켰습니다. 실제 소유자까지 찍힌 임차 계약서를 보내왔지만 그 계약서는 위조된 것으로 밝혀졌습니다. 계속되는 실랑이 끝에 결국 이 물건은 2021년 2월 22일 강제집행을 통해 명도가 마무리되었습니다. 순탄하게 끝냈다면 2020년 12월 초에 마무리할 수 있었던 명도가 2개월가량 늘어진 셈이죠.

⑦ 수리

명도 후 A씨가 집을 방문해본 결과, 짐이 조금 남아 있었지만 깨끗한 편이었습니다. 도배를 새로 하고 약간의 비품 정도만 교체하면 문제

없이 임차가 가능해 보였습니다. 실제로 수리비는 114만 원 정도밖에 들지 않았죠.

⑧ 8단계: 임차

명도 과정이 순탄치 않아 시간이 더 걸렸으나, 놀랍게도 이것이 큰 이득으로 돌아왔습니다. 수강생이 낙찰받은 2020년 9월은 임대차 3법(전월세신고제·전월세상한제·계약갱신청구권제 등을 핵심으로 하는 개정안)이 막 통과된 때였는데, 이 시기 이후로 전국의 전세 가격이 급등했기 때문입니다. 수강생 A씨가 소유자와 실랑이를 벌이는 동안 해당 지역의 전세 가격 또한 크게 상승했죠. 수리를 마친 3월 말에는 낙찰 당시보다 1억 원가량 전세 가격이 올라 있었습니다. 즉, 낙찰가와 전세가가 같아진 셈입니다. 더욱이 입찰 전 조사할 때 알아낸 정보처럼 임차 수요가 많은 곳이었기 때문에 세입자도 금방 구할 수 있었습니다.

수강생 A씨는 입찰부터 임차인을 받기까지 6개월이 걸렸습니다. 세입자에게서 받은 전세금으로 대출을 상환하고 보니 실제로 지출한 돈은 취득세와 법무사 수수료, 수리비 등으로 쓴 708만 원이 전부였습니다. 실투자금 708만 원으로 3억 6천만 원짜리 아파트의 소유자가 된 것이죠. 이를 간단하게 정리하면 다음과 같습니다.

1년이 지난 2022년 2월 현재 이 물건은 매매가격이 5억 8천만 원, 전세 가격이 3억 9천만 원으로 상승했습니다. 매매 시세가 당시보다 2억 2천만 원 올랐으니, 단순 계산하면 투자금의 거의 30배를 번 셈입니다.

운명을 바꾸는 부동산 투자 수업_ 실전편

투자금		수익	
낙찰가	36,000		
취득세	396	전세 보증금	36,000
수리비용	114		
기타 비용	198		
① 투자 총액	36,708	② 환수 총액	36,000
실투자금(①-②)			708

(단위: 만 원)

　이 사례를 보면 '나도 경매를 해볼까?' 하는 생각이 들지도 모릅니다. 그러나 경매는 시세 조사가 상대적으로 어려운 데다 입찰과 명도 과정에서의 스트레스로 인해 강한 투자 마인드가 없으면 접근하기 어려운 분야입니다. 물론 이를 해결하고 감당할 수만 있다면, 이처럼 적은 금액으로 큰 이득을 얻을 수 있는 투자이기도 합니다.

투자는 결국 나와 가족의 행복을 위한 것

 사람들은 왜 돈을 벌고 투자를 하며 부자가 되려 할까요? 단순하게 생각해보면 '돈이 필요하기 때문'입니다. 돈이 있어야 좋은 집에서 맛있는 음식을 먹고, 여행도 좀 다니고, 아이 교육을 시킬 수 있죠. 그런데 아무리 열심히 돈을 벌어도 근로소득만으로는 늘 돈이 모자랍니다. 대부분 돈 문제를 해결하고 싶어서 투자를 시작하죠.

 그럼 얼마나 돈을 벌어야 할까요? 10억이나 20억 혹은 100억을 벌어야 한다는 사람도 있죠. '강남에 아파트 한 채 사는 것이 꿈'이라는 사람도 있습니다. 그만큼 돈을 벌면, 그 집을 사면 정말 행복해질까요? 우리가 돈을 버는 이유에는 수천, 수만 가지가 있겠지만,

그 모든 목표의 이면에는 '행복'이 있습니다. 결국 우리는 행복해지기 위해 돈을 법니다. 우리가 하는 모든 행동은 결국 지금보다 더 행복해지기 위해서죠. 그러니 돈보다 '행복'에 대해 더 고민해야 합니다. 나와 가족을 더 행복하게 해줄 목표가 무엇인지를 깊이 생각해봐야 한다는 말입니다.

나의 진짜 목표가 무엇인지 고민해야 한다

"당신의 목표는 무엇입니까?"

이 질문에 뭐라고 대답하시겠습니까? 저는 상담할 때 실제로 이런 질문을 자주 하는데, 답변은 크게 둘로 나뉩니다. 첫 번째는 앞서 이야기한 것처럼 '강남 아파트에 살고 싶다'라거나 '20억 벌고 싶어요'와 같은 1차원적인 목표입니다. 하지만 이것은 '목표를 위한 목표'에 불과합니다. 과정은 힘들지만 막상 이루고 나면 공허한 경우가 많죠. 자신의 빌딩을 세우는 것이 목표였던 80대 어르신이 있습니다. 40년 넘게 악착같이 모으고 벌어서 드디어 건물을 지으려고 준비하던 와중에 안타깝게도 고인이 되고 말았습니다. 유족들과 이야기를 나눈 적이 있는데, 그 어르신의 목표를 위해 40년 이상을 희생한 가족들은 하나같이 너무 힘들었다고 합니다. 자신의 행복을 위해 목표를 세웠는데, 그 목표 때문에 가족은 불행했던 것이죠.

두 번째로는 '해외여행을 통해 나를 찾고 싶어요'라거나 '재단을 세워서 어려운 사람을 돕고 싶어요'와 같이 거창한 목표를 세우는 분이 있습니다. 그런데 과연 돈을 많이 벌어야만 이러한 꿈을 이룰 수 있을까요? 몇 달만 바짝 모으면 해외여행을 갈 자금 정도는 마련할 수 있습니다. 큰돈이 아니어도 기부 역시 당장 시작할 수 있고요. 지금 할 수 있는데도 하지 않는 것은 보여주기 식의 목표일 뿐 진짜 나의 목표는 아닐 겁니다. 그게 진짜 자신의 꿈이고 목표라면 당장, 작게라도 시작했을 테니까요.

목표에서 행복을 찾지 말고
행복해질 목표를 찾아라

좋은 목표를 세우기 위해서는 내가 무엇을 할 때 행복한지에 대해 고민해봐야 합니다. 그래야 '행복한 무엇'을 하기 위해 얼마의 돈과 시간이 필요한지를 알고 제대로 된 목표를 세울 수 있습니다.

30대 초반에 창업해 승승장구하던 사업가가 있습니다. 보통은 급성장한 회사를 더 키우고 싶게 마련이지만, 사실 이분의 목표는 '은퇴해서 일 안 하고 집에서 취미생활을 하며 사는 것'이었습니다. 이분은 정말로 그렇게 했습니다. 회사를 매각하고 생긴 수십억 원으로 집에서 게임을 하면서 살고 있습니다. 방 한 칸에는 컴퓨터를 여러 대 둬서 친구들이 찾아오면 함께 게임을 하죠. 게임 외에는 돈을 쓸 일이 없다 보니 한 달 생활비가 100만 원밖에 들지 않는다고 합니다. 현금만 수십 억이 있는 분인데도 회사를 운영할 때는 하루하루가 스트레스였는데 매일 좋아하는 게임만 하다 보니 너무 행복하다고 했습니다. 저는 이분의 삶도 충분히 멋지다고 생각합니다. 자신이 무엇을 해야 행복한지 알고 있었고, 이를 위한 기틀을 마련해 실제로도 그렇게 살아가고 있으니까요.

나는 무엇을 할 때 행복한가? 그 행복한 일을 평생 하고 싶다면 얼마의 돈이 필요한가? 즉, 그만큼의 돈을 모아서 평생 하고 싶은 행복한 일은 무엇인가? 그 돈을 모으는 데 얼마나 걸릴 것인가? 저는 이런 질문들이 실전 투자를 시작하기에 앞서 진지하게 고민해봐야 할 부분이라고 생각합니다. 그 질문에 대한 답변이 당신을 투자라는 쉽지 않은 길에서 버티게 하고 노력하게 만들어줄 것이기 때문입니다. 이 책을 읽는 모든 분들이 각자 세운 목표를 이루고, 오늘보다 더 행복한 내일을 살아가게 되기를 진심으로 기원합니다.

운명을 바꾸는 부동산 투자 수업 실전편

내 집 마련부터 실전 아파트 투자까지,
결국 돈 버는 부동산 투자 트레이닝

초판 1쇄 발행 2022년 4월 15일
초판 2쇄 발행 2022년 4월 20일

지은이 정태익

발행인 이재진	**단행본사업본부장** 신동해
편집 전해인	**구성** 노준승 **교정** 남은영
디자인 studio forb	**마케팅** 최혜진 최지은
홍보 최새롬	**제작** 정석훈

브랜드 리더스북
주소 경기도 파주시 회동길 20
문의전화 031-956-7209(편집) 031-956-7127(마케팅)

홈페이지 www.wjbooks.co.kr
페이스북 www.facebook.com/wjbook
포스트 post.naver.com/wj_booking

발행처 ㈜웅진씽크빅
출판신고 1980년 3월 29일 제406-2007-000046호

ⓒ 정태익, 2022

ISBN 978-89-01-25931-4 04320